RECIBO DEL EMPLEADO

Acuso recibo del *Manual de OSHA de Seguridad en la Construcción*, de J. J. Keller, el cual cubre diferentes 22 tópicos de seguridad. Estos tópicos incluyen los que siguen:

Espacios Limitados O Encerrados (1926.21, .57, .154, .650–.651, .350–.354, .800)

Grúas Y Cabrias (1926.1400–.1442)

Seguridad Eléctrica (1926.400–.449)

Reacción a Emergencias (1926.24, .35, .64, .65, .155)

Ergonomía Y Seguridad De La Espalda

Excavaciones (1926.650–.652)

Protección Contra Caídas (1926.500–.503)

Primeros Auxilios Y Patógenos Provenientes De La (1926.50, 1910.1030)

Comunicación De Peligro (1926.59)

Salud Y Bienestar

Exposiciones En El Sitio De Trabajo (1926.53, .54, .55, .57, .60, .62, .1101–.1152)

Escaleras Y Escaleras De Mano (1926.1050–.1060)

Bloqueo/Rotulación (1926.417, .702)

Manejo Y Almacenaje De Materiales (1926.20, .250–.252, .600–.606, .1000–.1003)

Vehículos a Motor (1926.20, .600–.601)

Equipo Protección Personal

    Protección a Los Ojos (1926.102)

    Protección a Los Pies (1926.96)

    Protección a La Cabeza (1926.100)

    Protección Al Oído (1926.101)

    Protección Respiratoria (1926.103)

Andamios (1926.451–.454)

Seguridad En El Lugar De Trabajo (1926.21, .25, .200–.203, .250, .252)

Resbalones, Tropezones, Caídas

Seguridad De Herramientas (1926.300–.307)

Soldadura, Corte, Y Soldadura Fuerte (1926.350–.354)

Seguridad En La Zona De Trabajo (1926.200–.203)

NOMBRE DEL EMPLEADO (EN LETRAS DE MOLDE POR FAVOR)

FIRMA DEL EMPLEADO   FECHA

COMPAÑÍA

FIRMA DEL SUPERVISOR DE LA COMPAÑÍA

NOTA: Este recibo debe ser leído y firmado por el empleado. Un supervisor responsable de la compañía debe contra-firmar el recibo y depositarlo en el archivo de entrenameinto del empleado.

MANUAL DE OSHA DE SEGURIDAD EN LA CONSTRUCCIÓN

©2011 J. J. Keller & Associates, Inc ®
Neenah, WI 54957 Printed in USA

J. J. Keller & Associates, Inc.®
3003 Breezewood Lane, P.O. Box 368
Neenah Wisconsin 54957-0368
Phone: (800) 327-6868
(800) 727-7516
jjkeller.com
LCCN: 2010938179
ISBN: 978-1-60287-893-8
GST No: R123-317-687
Sixth Edition

Due to the constantly changing nature of government regulations, it is impossible to guarantee absolute accuracy of the material contained herein. The Publisher and Editors, therefore, cannot assume any responsibility for omissions, errors, misprinting, or ambiguity contained within this publication and shall not be held liable in any degree for any loss or injury caused by such omission, error, misprinting or ambiguity presented in this publication.

This publication is designed to provide reasonably accurate and authoritative information in regard to the subject matter covered. It is sold with the understanding that the Publisher is not engaged in rendering legal, accounting, or other professional service. If legal advice or other expert assistance is required, the services of a competent professional person should be sought.

The Editors & Publisher
J. J. Keller & Associates, Inc.®

INDICE

INTRODUCCIÓN

A su empleador le importa su seguridad y salud. El *Manual de OSHA de Seguridad en la Construcción* de Keller es solamente una parte del programa de su compañía para enseñarle acerca de los riesgos en el trabajo que usted encara todos los días.

Las regulaciones de la Administración de Salud y Seguridad Ocupacional (OSHA en inglés) a menudo requieren entrenamiento en tópicos particulares tales como protección contra caídas o equipo de protección personal (PPE). Este manual cubre 22 tópicos, incluyendo materias como comunicación de riesgos y excavaciones. Le sirve como una ayuda a su supervisor o instructor en darle entrenamiento sobre los procedimientos de seguridad de su compañía.

Las regulaciones de OSHA para la construcción están en el Código de las Regulaciones Federales, Título 29, Parte 1926. Regulaciones individuales estarán identificadas por todo este manual como 29 CFR 1926. (número de sección).

Este manual cubre secciones de materias que son la causa principal de lesiones y muerte en los lugares de construcción. Las caídas constituyen el 34 por ciento de las muertes en construcción, el 10 por ciento en choques en carretera, el 10 por ciento golpeado por un artículo, el 2 por ciento que son homicidios.

Este manual es suyo. Úselo en conjunto con su instructor durante las sesiones de entrenamiento, y luego guárdelo y úselo como una referencia cómoda después de que ha terminado su entrenamiento de seguridad. Usted puede buscar información sobre seguridad y salud y encontrar respuestas a preguntas de seguridad que puedan aparecer cuando usted esté trabajando. Puede guardar este manual en su armario o caja de herramientas, teniendo a mano de esta manera, información de seguridad cuandoquiera que lo necesite.

Repasos sobre los capítulos se encuentran al fin de cada capítulo para usarlos como repasos de los puntos claves y principales ideas. Llene la información en el repaso cuando le indique su instructor. Solamente hay una contestación correcta para cada pregunta. Circúlela, o ponga una línea debajo de la letra que corresponde a la respuesta correcta, una vez que así le indique su instructor. Los repasos están perforados de manera que usted puede separarlos de la página y entregárselos al instructor.

Usted, al igual que su empleador, pueden hacer que cada día de trabajo sea seguro siguiendo las pautas del *Manual de OSHA para Seguridad en Construcción,* de Keller.

ESPACIOS LIMITADOS O ENCERRADOS: ENTRAR Y SALIR CON SEGURIDAD

Cada día miles de trabajadores en construcción están expuestos a posibles lesiones o muerte en lo que OSHA llama "espacios limitados o encerrados." Estos espacios tienen unas salidas limitadas y están sujetas a la acumulación de contaminantes tóxicos o inflamables o a tener deficiencia de oxígeno en el aire.

Ejemplos de espacios limitados o encerrados

Espacios limitados o encerrados incluyen, pero no están limitados a, tanques de almacenamiento, vasijas de proceso, botes, calderas, conductos de ventilación o escape, bóvedas de servicio subterráneo, túneles, tuberías, y espacios abiertos por encima de 4 o más pies de profundidad como excavaciones, tinajas, zanjas y receptáculos.

OSHA dice

En la industria general, OSHA usa el término "espacio limitado permiso requerido" ha describir un espacio limitado que tenga una o más de los características siguientes: peligros del la atmosfera, peligro de quedar sumergido, o atrapado, o asfixiado, o cualquier otro riesgo reconocido como peligro a la salud como máquinas sin guardas, alambres expuestos, o estrés por calor (29 CFR 1910.146).

Aunque los estándares de construcción de OSHA no están definidos claramente en un área, hay regulaciones que controlan los espacios limitados o encerrados para proteger a los empleados. Una manera que un empleador puede protegerle de riesgos de espacio limitado es desarrollar y poner en práctica un programa de permiso de espacios lo cual que incluye procesos para pruebas, reglas definidas para empleados en el proceso de entrada, requisitos de permisos, y procedimientos para rescate. Por lo menos se debe saber lo básico.

Lo que se debe saber

Cuando hablamos de espacios limitados o encerrados, OSHA espera que su supervisor le enseñe lo siguiente:

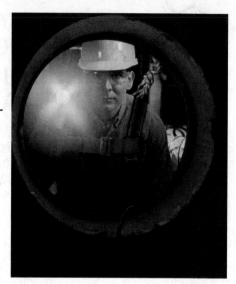

- Naturaleza de los peligros incluidos,

- Precauciones necesarias a tomarse,

- Reconocer y evitar condiciones inseguras,

- Uso de equipo de emergencia y protector requerido, y

- Requisitos que se aplican a trabajo en áreas peligrosas o potencialmente peligrosas.

Riesgos de espacios limitados o encerrados

Hay muchas situaciones y riesgos que pueden causar que un espacio limitado se vuelva mortal. Vapores gases y neblina se pueden acumular en espacios limitados debido a:

- El uso de líquidos para limpieza o pega,

- Cierto trabajo que se hace como soldadura, o

- Efectos del ambiente.

Si usted no está consciente que estos peligros existen, el resultado puede ser incendios o explosiones o asuntos de salud.

Peligros físicos

El número mayor de muertes en espacios limitados es causado por problemas atmosféricos. Sin embargo, si se incluyeran muertes dentro de zanjas que se derrumban, como muertes relacionadas a espacios limitados, entonces los peligros físicos constituirían el grupo más grande.

Los riesgos físicos incluyen:

- **Energía peligrosa** — Energía eléctrica activada, ya sea mecánica, e hidráulica podría causar lesiones en un espacio limitado; por lo tanto, debe ser desactivada de energía y bloqueada antes de que usted vaya a trabajar en ese espacio.

- **Derrumbe** — Cuando es posible que ocurriera un derrumbe, se deben seguir las reglas de OSHA.

- **Ahogo** — El agua proveniente de una lluvia fuerte o de tuberías podrían entrar en el espacio.

- **Servicio subterráneo eléctrico, de gas, o de agua** — Tuberías que contengan vapor, gases, o líquidos refrigerantes deberían de ser cerradas o apagadas.

- **Problemas de comunicación** — Malos sistemas de comunicación podrían retrasar el rescate.

- **Calor** — La temperatura puede incrementar rápidamente en un espacio limitado causando agotamiento o mareos.

- **Ruido** — Sonido proveniente de equipo y otros trabajadores reverbera en el espacio y puede hacer difícil el oír direcciones o advertencias importantes.

- **Dificultades en entrar y salir** — Las aberturas para entrada o salida pueden ser limitadas por su tamaño o ubicación.

Riesgos atmosféricos

Asfixia causada por problemas atmosféricos es el peligro principal en espacios limitados.

Deficiencia de oxígeno

La mayoría de los accidentes en espacios limitados están relacionados a las condiciones atmosféricas dentro del espacio y la ausencia de monitoreo y ventilación continuos del aire como fuera necesario. En ge-neral, el riesgo primordial asociado con espacios limitados es la deficiencia de oxígeno.

El aire normal contiene 20,8 por ciento de oxígeno. El nivel seguro mínimo, un requerimiento de OSHA, es 19,5 por ciento. OSHA también dice que el máximo nivel es del 23,5 por ciento. Con un nivel del 16 por ciento usted se sentirá desorientado y con el nivel entre ocho y el 12 por ciento, usted probablemente perderá la consciencia. Si el aire tiene demasiado oxígeno (más 23,5 por ciento) se lo considera demasiado oxigenado y se vuelve un riesgo de fuego o explosión.

El oxígeno se reduce en un espacio cuando se lo ha usado, o lo reemplaza otro gas. También lo puede desplazar otros gases tales como argón, nitrógeno o metano. Consumo de oxígeno ocurre durante la combustión de substancias inflamables, tales como resultado de soldadura, corte o soldadura fuerte. Una forma más sutil del consumo de oxígeno ocurre durante acción de bacteria, tal como ocurre en el proceso de fermentación. Al oxígeno también se lo puede consumir durante reacciones químicas lentas como durante la formación de óxidos en metales.

Aire inflamable

El fuego y la explosión son peligros graves en espacios limitados. Humo y vapor pueden encenderse más rápidamente en aire atrapado.

Pueden haber presentes gases o vapores inflamables y combustibles provenientes de substancias contenidas anteriormente, de recubrimientos internos de tanques como preservativos, y operaciones de soldadura. En lugares donde se cree que exista vapor inflamable, se deben tomar precauciones para prevenir ignición eliminando o controlando fuentes de encendido, o eliminando el aire inflamable antes de hacer el trabajo. Fuentes de encendido o ignición, pueden incluir el fumar, cortar, soldar, superficies calientes, y calor proveniente de fricción.

Contaminantes tóxicos del aire

Contaminantes tóxicos del aire provienen de material que fue almacenado anteriormente en el espacio limitado o como resultado del uso de recubrimientos, solventes de limpieza, o preservativos. El trabajo que está haciéndose en un espacio limitado también podría emitir un gas tóxico. Un ejemplo de esto sería una operación de soldadura que genera monóxido de carbono y óxido de nitrógeno y ozono.

Desafortunadamente, uno generalmente no puede ver u oler muchos tóxicos, pero ellos representan dos tipos de riesgos en un espacio limitado: pueden irritar su sistema respiratorio o nervioso; o algunos químicos tóxicos pueden eliminar su fuente de oxígeno, entrar en sus pulmones y asfixiarlo.

Trabajando en espacios limitados

Si se le requiere entrar en un espacio limitado, asegúrese que entiende lo siguiente:

- Qué clase de riesgos podría usted encontrar y por qué estos riesgos son peligrosos.

- Las precauciones necesarias a tomarse para cada tipo de riesgo.

- El uso de equipo de protección o emergencia y los instrumentos requeridos.

Antes de entrar a un espacio limitado

Antes de entrar a un espacio limitado o encerrado, hay ciertos procedimientos que uno debe seguir para garantizar que el espacio esté seguro.

Asegúrese que obtenga permiso de entrada

Su empleador puede fijar señales de aviso a prevenir la entrada sin autorización en los espacios limitados. Una letrero que diga "DANGER – PERMIT-REQUIRED

CONFINED SPACE. DO NOT ENTER," en español, "PELI-GRO – PERMISO REQUERIDO ESPACIO LIMITADO NO SE ENTRE" o palabras similares se deben tomar en serio.

Entienda su papel

No se debe entrar solo dentro de un espacio confinado o limitado. Por lo menos se necesita un entrante autorizado y un supervisor de entrada. Un entrante autorizado significa un empleado quien está autorizado por el empleador a entrar en un espacio que necesita permiso. Un supervisor de entrada tiene la responsabilidad de determinar si están presentes condiciones aceptables de entrada en un espacio de permiso donde se planea entrar, por autorizar entrada, y supervisar las operaciones de entrada, y por terminar la entrada.

Asegúrese que entienda los deberes del papel que le asignen.

Obtenga un permiso de entrada

Aunque OSHA no requiere esto para la construcción, es una buena idea el obtener una autorización escrita (un permiso de entrada), firmada por su supervisor, antes de entrar a un espacio limitado. Este sería un momento excelente para que usted y el supervisor de su lugar de trabajo discutan las precauciones necesarias sobre el trabajo que usted está haciendo.

Control de la energía peligrosa

Use un aparato de bloqueo y rotulación para evitar el arranque accidental de equipo mientras usted esté trabajando en un espacio limitado. Cierre vapor, agua, gas, y la potencia eléctrica que entren a un espacio limitado. Use solamente equipo y ventiladores que sean seguros, se puedan conectar a tierra y a prueba de explosión.

Cuando usted está trabajando en un espacio limitado o encerrado que tiene partes expuestas, con energía, su empleador le debe suministrar algún tipo de defensa protectora y aislada para prevenir contacto con estas partes.

Compruebe el aire

Su compañía debe tener como práctica normal el comprobar el aire cada vez que se le requiera entrar a un espacio limitado. Se deben tomar precauciones adecuadas para prevenir su exposición a:

- Aire que contenga menos del 19,5 por ciento de oxígeno.

- Una concentración de un gas inflamable en exceso del 20 por ciento del límite inflamable más bajo del gas.

- Cualquier otro aire tóxico peligroso.

Su compañía debería tener instrumentos especiales para comprobar los niveles de oxígeno, combustibilidad, y toxicidad en espacios limitados.

Excavaciones que tengan más de 4 pies de profundidad, donde exista deficiencia de oxígeno, o tenga alguna atmósfera peligrosa, o donde estos peligros se podrían razonablemente esperar, deben ser comprobadas.

Compruebe el aire antes de entrar a un espacio limitado y también hágalo en forma regular durante su estadía adentro para comprobar la presencia de suficiente oxígeno y la ausencia de niveles peligrosos de gases tóxicos o combustibles. Una vez que se ha abierto el espacio, compruebe el aire de la parte de arriba a la parte de abajo. Algunos gases como propano y butano son pesados y descenderán a la parte inferior del espacio. Gases livianos como metano se irán hacia la parte de arriba. De manera que no deje de verificar todos los niveles.

Después de que se ha comprobado que el nivel de oxígeno es adecuado, y no hay nada combustible dentro del espacio, compruébelo por toxicidad.

Si se le ha asignado entrar a un espacio limitado, usted o su representante autorizado, tienen el derecho a observar todo monitoreo del aire y ver los resultados de este monitoreo y la certificaciones escritas indicando que el espacio esté seguro para entrar.

Si los exámenes o pruebas indican que el espacio no está seguro para entrar, notifique a su supervisor. Su compañía debe fijar un letrero marcado "DANGER – PERMIT REQUIRED CONFINED SPACE. DO NOT ENTER," en español "PELIGRO – ESPACIO LIMITADO QUE REQUIERE PERMISO NO ENTRE", o use otras medidas igualmente efectivas para informarfle de la existencia y ubicación del peligro posado por el espacio limitado. El letrero debe mantenerse en el lugar, hasta que las pruebas indiquen que uno pueda entrar dentro del espacio con seguridad.

Cuando existan substancias tóxicas cuya atmósfera no se pueda comprobar con el equipo disponible, a usted se le permitirá entrar al espacio encerrado sólo con el uso de equipo de respiración con fuente de aire y con otro equipo apropiado de protección personal.

Uso del equipo apropiado

Cuando usted entre a un espacio limitado a través de una boca de acceso u otra abertura pequeña debe haber las medidas necesarias para sacarlo con rapidez en caso de emergencia. Usted debe usar un arnés de pecho completo o de cuerpo completo con cuerda de salvamento conjuntada al centro de su espalda cerca de sus hombros. Los cinturones de cuerpo que se usan para retraerlo puede causar que la persona se atasque en aberturas pequeñas de salida.

Asegúrese de la ventilación apropiada

Cuando usted esté soldando, cortando, o calentando dentro de un espacio limitado, se debe suministrar ventilación para asegurar que los niveles de oxígeno estén seguros y que gas tóxico o inflamable no alcance un nivel peligroso.

Cuando no se puede obtener ventilación suficiente sin que el equipo de ventilación bloquee sus medidas de escape, le deben suministrar un respirador con línea de aire y entrenarlo para su uso apropiado.

Use equipo de ventilación donde sea posible. La ventilación debería mantener el nivel de oxígeno entre 19,5 por ciento y 23,5 por ciento. También debería mantener los gases o vapores tóxicos dentro de niveles aceptados, tal como lo prescribe OSHA.

Operaciones de rescate

Cuando los trabajadores entran a un espacio limitado, por lo menos una persona debe quedarse afuera del espacio para conseguir ayuda u otro tipo de apoyo. Su compañía debe tener un procedimiento de rescate de emergencia escrito que requiera que personeros entrenados estén disponibles y estacionados, donde puedan llegar a la víctima o víctimas dentro de un espacio, en el periodo de tiempo apropiado, correspondiente a los riesgos en el espacio limitado.

La persona ayudante entrenada debería tener conocimiento de primeros auxilios y de resucitación cardiopulmonar (CPR). El ayudante también debe mantener comunicación constante con las personas dentro del espacio, ya sea visualmente, por medio de radio, o por teléfono inalámbrico. Si se suscita una situación que requiera entrada de emergencia, el ayudante no debe entrar hasta que llegue ayuda adicional.

Una soga amarrada al rededor de la cintura de un trabajador no es un método de rescate aceptable. No permite que un solo ayudante pueda sacarle al trabajador herido afuera del espacio. Es mejor utilizar un arnés de cuerpo completo y cuerda de salvamento. Esto puede ser conjuntado a una polea con aparejo, que podría ser operada por un solo rescatador.

Equipo de rescate de emergencia tal como respiradores auto contenidos (SCBA), un arnés de seguridad con línea, o una camilla tipo cesto, deben estar disponibles inmediatamente donde existan condiciones atmosféricas peligrosas, o éstas podrían razonablemente esperarse que se desarrollen, durante el trabajo en una excavación. El equipo tiene que estar bajo la atención de una persona, mientras se lo esté usando.

Trabaje hacia la meta de trabajar con seguridad

A veces el espacio limitado a donde usted está entrando puede que no aparezca peligroso. Es posible que durante el turno anterior se entró al espacio sin dificultad y puede que éste  no muestre señales de que esté en peligro. Otras veces pueden haber indicaciones de peligro, el olor distintivo de gases tóxicos, arcos producidos por equipo eléctrico, o la presencia de materiales flojos. Es crítico reconocer estos peligros y deben ser parte del programa de seguridad de su compañía. Cuando se reconoce a los espacios limitados como peligrosos, se deben hacer provisiones para su seguridad.

Empleado _____

Instructor _____

Fecha _____

Compañía _____

Repaso de entrada a espacios limitados

1. Un ejemplo de espacio limitado es:
   a. Excavaciones con una profundidad de 3 pies
   b. Áreas con paredes armadas de 16 pulgadas del centro
   c. Conductos de ventilación
   d. Todo lo de arriba

2. Un espacio limitado es peligroso cuando hay:
   a. Atmosferas peligrosas
   b. Peligros físicos
   c. Servicios de agua, gas y electricidad subterráneos
   d. Todo lo de arriba

3. Antes de entrar a un espacio limitado, usted debería saber:
   a. Equipo requerido de protección y emergencia
   b. Naturaleza del peligro
   c. Precauciones necesarias
   d. Todo lo de arriba

4. Los contaminantes tóxicos del aire pueden provenir de:
   a. Materiales previamente almacenados
   b. Uso de recubrimientos, limpiadores y preservativos
   c. Trabajo que se está haciendo
   d. Todo lo de arriba

5. El contenido de oxigeno puede ser peligroso al nivel que sigue:
   a. 20,8 por ciento
   b. 19,5 por ciento
   c. 24,6 por ciento
   d. Todo lo de arriba.

6. Un peligro físico que puede amenazar la seguridad es:
   a. Calor
   b. Ruido
   c. Servicios de agua, gas, y electricidad subterráneos
   d. Todo lo de arriba

7. Gases o vapores inflamables pueden ser encendidos por:
   a. Cortadura y soldadura
   b. Fricción
   c. Superficies calientes
   d. Todo lo de arriba

8. Equipo necesario para entrar a un espacio limitado, incluye:
   a. Cinturón corporal
   b. Arnés para todo el cuerpo
   c. Protección al oído
   d. Lentes de seguridad

9. Si no se puede conseguir suficiente ventilación en un espacio limitado, uno debe usar:
   a. Respirador de partículas
   b. Respirador para escape
   c. Respirador con línea de aire
   d. Todo lo de arriba

10. Si usted es un asistente entrenado, usted debería:
    a. Ser conocedor de primero auxilios y resucitación cardiopulmonar
    b. Estar en comunicación continua con el entrante
    c. Quedarse afuera del espacio
    d. Todo lo de arriba

GRÚAS Y CABRIAS: ELEVANDO LA SEGURIDAD A NUEVAS ALTURAS

Así sea un operario o un obrero de construcción que tiene que trabajar en o cerca de grúas o cabrias, es esencial comprender y cumplir con las costumbres necesarias de trabajo establecidas en su empresa para que otros y usted mismo estén libres de accidentes. Específicamente, usted debe comprender el efecto que las condiciones del suelo puedan tener en una grúa o cabria y el papel que juega la Entidad de Control en el lugar del trabajo (CE, siglas en inglés).

También debe tener un entendimiento básico de las distancias libres de obstáculos para minimizar peligros al trabajar cerca de cables de alta tensión o de otras fuentes de energía eléctrica. Finalmente, comprender los peligros asociados con el montaje y desmontaje de grúas, zonas de trabajo, equipo activado, y caídas, es una clave para su seguridad general.

De acuerdo con OSHA, la causa de muertes durante las actividades de levantamiento pueden reducirse a lo que sigue:

- Golpes con la carga (32 por ciento),

- Electrocución (27 por ciento),

- Trituración durante el montaje/ desmontaje (21 por ciento),

- Falla del aguilón/ cable (12 por ciento),

- Vuelco de la grúa (11 por ciento),

- Golpes con la cabina/ contrapeso (3 por ciento), y

- Caídas (2 por ciento).

Por estas razones, OSHA ha actualizado sus reglamentos de construcción para tomar en cuenta los adelantos tecnológicos realizados desde que se estableció el estándar por primera vez en 1971, así como las comprobadas costumbres de trabajo que le mantienen seguro en la obra. Usted notará que muchos de los requisitos de esta sección se refieren a personas cualificadas y competentes. OSHA define las cualidades de estas personas como:

Una persona cualificada significa una persona que, por poseer un título reconocido, o certificado, o por su prestigio profesional, o quien por sus extensos conocimientos, entrenamiento y experiencia, ha demostrado claramente su habilidad de solucionar/resolver problemas relacionados con el asunto del caso, el trabajo, o el proyecto.

Una persona competente significa alguien capaz de identificar peligros existentes y predecibles en el entorno o en las condiciones de trabajo que sean malsanas, peligrosas, o peligrosas a los empleados, y que está autorizado a tomar prontas medidas correctivas para eliminarlas.

Ejemplos de grúas y cabrias

Y, ¿qué tipos de grúas y cabrias caen bajo la regla? De acuerdo con OSHA, está cubierto todo equipo propulsado que se opera al usarse en construcción que suba, baje, o mueva horizontalmente, una carga suspendida.

Esto incluye, pero no se limita a:

- Grúas articuladas (como grúas con pescante tipo coyuntura);

- Grúas de oruga;

- Grúas flotadoras;

- Grúas sobre gabarras;

- Grúas locomotoras;

- Grúas movibles (sobre ruedas, de terreno áspero, todo terreno, sobre camiones comerciales y con aguilón sobre camión);

- Máquinas de multiuso al configurarlas para izar y bajar (por medio de cabrestante o gancho) y mover horizontalmente un carga suspendida;

- Grúas industriales (como las grúas de cubierta);

- Propulsores específicos para martillar;

- Camiones de servicio o mecánicos con dispositivo de elevación;

- Grúa sobre monorriel;

- Grúas de torre como un brazo fijo (v.g, "pescante cabeza de martillo," pescante abatible de auto montaje);

- Grúas de pedestal;

- Grúas de portal;

- Grúas con puente corredizo por encima;

- Grúas tipo pórtico o zancudo;

- Grúas de pescante lateral;

- Cabrias; y

- Variaciones de esos equipos.

Hay algunas excepciones a esta lista de equipos; no obstante, éstas no se examinarán.

OSHA dice

OSHA espera que los empleadores determinen si el suelo puede aguantar el peso anticipado de mover equipo y la carga correspondiente. Se requiere entonces a los empleadores que evalúen los peligros dentro de la zona de la obra que pudiesen afectar la operación segura al mover equipo, tales como cables de alta tensión y objetos, o personal que esté dentro de la zona de trabajo, o radio de oscilación del equipo levantado.

Finalmente, se requiere que los empleadores aseguren que el equipo sea seguro al operarse por medio de inspecciones requeridas, y que los empleados en la obra estén entrenados en reconocer peligros asociados con el uso del equipo y tareas relacionadas que se les asigne realizar.

Puede encontrar estos requisitos bajo 29 CFR 1926.1400 – 1926.1442, o más conocido como Subparte CC — Grúas y Cabrias en Construcción.

Condiciones del suelo

La típica grúa de construcción puede pesar muchas toneladas. Poner este peso sobre el suelo en una obra puede hacer que se encuentre toda clase de problemas. El más serio pudiera ser el vuelco de una grúa, causado por un subsuelo flojo bajo la grúa. Puesto que las condiciones adecuadas del suelo son esenciales para la capacidad y estabilidad de la grúa, deben determinarse que estén seguras por el CE de la obra, que puede ser el contratista principal del empleador, el contratista general, el jefe de la construcción, o cualquier otra entidad jurídica que tenga la responsabilidad global para la planificación del proyecto, su calidad, y finalización.

Requisitos para soportes del suelo

Esté al tanto de que tres soportes requeridos del suelo se aplican al ensamblar u operar una grúa:

- El suelo es firme, se ha drenado y nivelado.

- Hay suficientes materiales de soporte (bloques, esteras, plataformas), si se necesitan para aparejar a la grúa.

- Se alcanza "el grado de nivel" de la grúa. Es lo que especifica el fabricante de la grúa para saber cuán nivelada debe estar la grúa.

También es importante notar que antes que se traiga equipo a la obra, el CE debe examinar la información en su posesión — como planos de la obra, planos de construcción, y análisis del suelo — para ver si hay peligros bajo el puesto para instalar la grúa. Peligros escondidos representan serios riesgos en la operación segura de equipo.

Seguridad con cables de tensión

Cuando se trata de protegerse de una descarga eléctrica, lo primero es recordar que todo cable de alta tensión se considera activo, a menos que la empresa eléctrica o dueño u operador confirme que la línea ha sido desactivada y continúa así, visiblemente puesta a tierra en la obra. Antes de comenzar operaciones con el equipo, su empleador debe evaluar los peligros en la obra e identificar el área de la zona de trabajo de este modo:

- Marcando los límites — con banderines, o con un dispositivo tal como limitador de alcance o distancia o un dispositivo que con alarma controle el alcance o distancia de operación — de modo que prohíba al operario cruzar esos límites con el equipo, o

- Definir la zona de trabajo como un área de 360 grados alrededor del equipo, hasta el radio máximo operacional del equipo.

Una vez identificada y marcada la zona de trabajo, el paso siguiente que su empleador debe tomar es determinar si la línea de carga del equipo, o la carga (incluyendo aparejos y accesorios para alzar), estará a menos de 20 pies de un cable de alta tensión.

Desactivación y distancias de despeje

Antes de ensamblar o desensamblar, u operar una grúa o cabria, es vital determinar las distancias de despeje requeridas. Si cualquier parte del equipo, la línea de carga, o carga, pudiesen acercarse a menos de 20 pies de un cable de alta tensión durante el proceso, asegúrese que algunas de las siguientes opciones han sido realizadas por su empleador:

- Opción 1 — Desactive y ponga a tierra la fuente de energía

- Opción 2 — Despeje o despeje de 20 pies de la fuente de energía

- Opción 3 — Tabla A de despeje (ver página 23)

Si todavía hay riesgo que el equipo se acerque más al cable de tensión sobrepasando el mínimo de la distancia de aproximación, asegúrese hacer lo siguiente:

- Sostenga una reunión de planificación con el director de montaje y desmontaje (director de A/D, siglas en inglés), operario, cuadrilla de montaje/desmontaje, y con otros trabajadores que estarán en el área de montaje/desmontaje para revisar la ubicación de los cables de alta tensión y las medidas que se llevarán a cabo para prevenir invasión/electrocución.

- Usar cuerdas de rotular no conductivas, si hay que usarlas.

- Usar un observador especial; alarma de proximidad; dispositivo con alarma para control de distancia; aparato que limite distancias; o alambre elevado de advertencia, barricadas, o una fila de letreros que eviten invasiones.

Operaciones bajo cables de alta tensión

Estar al tanto de que ninguna parte de grúa o cabria, línea de carga, o carga, ya ensamblados parcial o completamente, se permite bajo cables a menos que su empleador haya confirmado que se han desactivado y se vea que estén conectados a tierra. Hay excepciones que aparecen en el párrafo 1926.1408(d)(2).

También, usted debe saber que OSHA da parámetros de tiempo a la empresa eléctrica, su dueño u operador, para que provea la información requerida de voltaje. OSHA dice que debe haber una respuesta dentro de dos días laborables de la petición del empleador.

Trabajo cerca de torres de trasmisión/comunicación

Si trabaja cerca de torres de trasmisión/comunicación donde el equipo esté lo suficientemente cerca de una descarga eléctrica que afecte el equipo o a materiales que se manejen, el trasmisor debe desconectarse o se tomarán las siguientes precauciones:

- Se debe proveer equipo con conexión eléctrica a tierra.

- Si se usan líneas para etiquetar, deben ser no conductivas.

Comprender los riesgos de un contacto eléctrico

Puesto que un contacto eléctrico con un cable de tensión es una verdadera amenaza, OSHA requiere que cada operario y miembro de la cuadrilla comprenda el procedimiento a seguirse si se diera esta situación. Como mínimo, debe comprender los peligros de aproximar equipo y cargas, los procedimientos recomendados de evacuación, el potencial para una zona con energía, distancias de despeje seguras, así como procedimientos y limitaciones de conexión a tierra apropiados.

Peligros con equipos y cargas que se acercan

Cuando grúas o cabrias operan cerca de cables de tensión por encima, la grúa, la línea de carga, o la carga pudiera contactar los cables. Si ello sucede la corriente eléctrica pasará por el equipo a tierra. Quien toque la grúa hará de conexión a tierra y la corriente eléctrica pasará por la persona. Aun si la persona no toque el equipo, el suelo cerca de la grúa tendrá energía y presentará un peligro de electrocución.

OSHA se refiere a este peligro como "toque potencial." El toque potencial es el voltaje entre el objeto energizado y los pies de la persona en contacto con el objeto. Es igual a la diferencia en voltaje entre el objeto (que está a una distancia de 0 pies) y un punto a alguna distancia. Note que el toque potencial pudiera ser casi el voltaje completo por el objeto que haga tierra si ese objeto hace tierra en un punto lejano del sitio donde la persona hace contacto con ello. Por ejemplo, una grúa conectada a tierra al sistema neutral, y eso contacta una línea energizada, expondría a cualquier persona en contacto con la grúa o su carga no aislada a un toque potencial casi igual al voltaje completo del cable de tensión que se tocó.

Por esta razón, usted debe siempre evitar acercarse y contactar cualquier equipo que funcione cerca de cables de alta tensión.

Procedimientos de evacuación recomendados

Es importante decidir si quedarse dentro de la cabina o evacuar tras contacto con cables de tensión, porque hay
potencial de incendio, explosión, u otras emergencias. De
acuerdo con OSHA, se recomiendan los siguientes procedimientos contra descargas eléctricas:

- El operario de la grúa debe quedarse dentro de la
  cabina hasta que se desconecten los cables.

- Toda otra persona debe alejarse de la grúa, de las
  sogas y carga, ya que el suelo alrededor de la máquina
  puede estar energizado.

- El operario de la grúa debe tratar de mover la grúa para
  evitar el contacto yendo en dirección contraria.

- Si no se puede mover la grúa para evitar contacto, el
  operario debe permanecer dentro de la cabina hasta
  que se desconecten los cables.

Peligro de una zona energizada

Como queda dicho, si una grúa contacta un cable de alta
tensión, la corriente pasará por el equipo a tierra. Esta
conexión a tierra no planificada, o más comúnmente conocida como falla a tierra, hace que voltajes pasen al objeto
que ha hecho "tierra" que afecta a la línea. Créalo o no, una
persona pudiera arriesgarse a lesiones durante una falla simplemente por estar de pie cerca del punto a tierra.

OSHA se refiere a este peligro como "paso potencial." Un
paso potencial es la diferencia de voltaje entre los dos pies
de una persona de pie cerca de un objeto a tierra
energizado. En términos más científicos, es igual a la diferencia en voltaje, proporcionada por la curva de distribución
de voltaje, entre dos puntos a diferentes distancias del electrodo.

OSHA recomienda alejarse de áreas donde pueden haber
peligrosos pasos o toques potenciales si usted no participa
directamente en la operación que se realice. Si usted está
sobre el suelo cerca de estructuras de trasmisión, usted
debe permanecer a una distancia donde los voltajes de paso
serían insuficientes para causar lesiones.

Distancias de despeje seguras

Otra medida que OSHA ha tomado para eliminar el riesgo de electrocución con cables energizados por encima es el establecimiento de nuevas distancias seguras de despeje. OSHA espera que la mínima distancia de despeje sea 20 pies, a menos que se use la Opción 3 (examinada bajo distancias para desactivar y despeje). Estas distancias se resumen en la Tabla A e incluyen Los siguientes parámetros:

TABLA A—MÍNIMAS DISTANCIAS DE DESPEJE	
Voltaje (nominal, kV, corriente alterna)	Mínima distancia de despeje (pies)
hasta 50	10
más de 50 a 200	15
más de 200 a 350	20
más de 350 a 500	25
más de 500 a 750	35
más de 750 a 1.000	45
más de 1.000	(tal como establezca la empresa, el dueño u operador o un ingeniero profesional registrado que sea una persona cualificada con respecto a la trasmisión y distribución de energía eléctrica).

Nota: El valor que sigue después de "a" es hasta ese punto e Incluye ese valor. Por ejemplo, más de 50 a 200 significa hasta 200kV e incluye 200kV.

Procedimientos comunes para conectar a tierra

Un método común para conectar a tierra, recomendado por OSHA en la Subparte O — Vehículos motorizados, equipo mecánico, y operaciones marinas, para trabajo cerca de una carga eléctrica incluye:

- El equipo debe tener una conexión eléctrica a tierra directamente a la estructura superior rotante que soporta el aguilón; y

- Cables de empalme a tierra deben conectarse a materiales que maneje el equipo del aguilón cuando se induce una carga eléctrica mientras se trabaja cerca de trasmisores energizados. Se debe proveer a las cuadrillas con varas no conductivas que tengan pinzas de lagarto u otras protecciones similares para juntar el cable a tierra con la carga.

Es importante comprender que el trabajo que se realice cerca de torres de trasmisión o de cables donde se puede inducir una carga eléctrica en el equipo o materiales que se manejan, debe contar con medidas precautelares hechas para disipar el voltaje inducido antes de que se haga el trabajo. El estar al tanto de las limitaciones de conexión a tierra, identificadas por el empleador, es crucial.

Montaje/desmontaje de Grúa

Algunos accidentes de grúa movible suceden a causa de montaje/desmontaje inapropiado de equipo. Otros son el resultado de malos entendidos o confusión concernientes a las tareas a mano. Puesto que la mayoría de estos accidentes se puede evitar al seguir los requisitos de OSHA respecto montaje/desmontaje, se debe comprender las expectativas de aprobaciones, pruebas, y de minimización de riesgos.

La primera fuente de guía que se debe consultar, respecto montaje/desmontaje de una grúa o cabria, es la del fabricante. Se pueden usar los procedimientos del empleador sólo cuando el empleador pueda demostrar que los procedimientos reúnen estos requisitos:

- Previenen movimientos peligrosos y caídas sin intención de cualquier pieza del equipo.

- Proveen soporte adecuado y estabilidad de todas las piezas del equipo.

- Posicionan a los empleados que participan en la operación de montaje/desmontaje de modo que su exposición a movimiento o caída sin intención de piezas o de todo el equipo se reduce al mínimo.

Los procedimientos del empleador deben ser diseñados por una persona cualificada. Sin embargo, no pueden emplearse durante el manejo de aparejos si el empleador usa cabestrillos sintéticos. Cuando se usen cabestrillos sintéticos, se seguirán las instrucciones, limitaciones, especificaciones y recomendaciones del fabricante de los cabestrillos sintéticos.

Instrucciones para la cuadrilla

Antes de dar comienzo a montaje/desmontaje (A/D), el director de A/D (por sus siglas en inglés) debe asegurarse que usted y sus compañeros comprendan todo lo que sigue:

- Sus tareas,

- Los peligros asociados por sus tareas, y

- Las posiciones/ubicaciones peligrosas por evitarse.

Estos requisitos de instrucción deben cumplirse antes que un nuevo miembro de la cuadrilla asuma una tarea diferente o cuando se añada nuevo personal durante las operaciones de montaje/desmontaje.

Inspección

Además, antes del montaje/desmontaje de una grúa o cabria, usted y su empleador deben seguir los requisitos de la sección "seguridad con cables de tensión" de este capítulo. Tras completar el montaje/desmontaje, el equipo debe ser inspeccionado por una persona cualificada para estar seguros que esté configurado de acuerdo con los criterios del fabricante del equipo. Si no están a la disposición los criterios del fabricante, se espera que la persona cualificada determine si aquellos criterios deben ser elaborados por un ingeniero profesional registrado (RPE, por las siglas en inglés) o por sí mismo/a.

Al menos cada 12 meses, la grúa o cabria debe ser inspeccionada por una persona cualificada. Tal vez sea necesario el desarmarla para finalizar la inspección. Esto pudiera incluir desarmar un número de componentes, que se resumen en 1926.1412, Inspecciones.

Minimización de riesgos

Fuera de la vista del operario

Un peligro común en las obras es la oscilación o movimiento de la grúa cuando el personal de montaje/desmontaje está en una zona de trituración o de atrape, y fuera de la vista del operario. Un medio eficaz y práctico para la prevención de estos accidentes es a través de un procedimiento de comunicación que provee información clave a, y en coordinación entre, el operario y los obreros.

Por ello es que cada miembro de la cuadrilla debe informar al operario que va a un lugar en, bajo o cerca del equipo o carga que está fuera de la vista del operario.

Cuando el operario sabe que un miembro de la cuadrilla fue a un lugar peligroso, el operario no debe mover nada del equipo o carga hasta que sepa el operario — vía un sistema de comunicación predeterminado — que el obrero esté seguro.

Trabajar bajo el pescante, aguilón u otros componentes

Cuando se retiren los pasadores (o dispositivos similares), usted no debe estar bajo el pescante, aguilón, u otros componentes porque si se sacan los pasadores equivocados, éstos pueden moverse o caerse.

Esto puede ocurrir aun cuando se saquen los pasadores en el orden correcto, porque la energía almacenada puede no liberarse hasta sacado el pasador.

Hay una excepción: Donde el empleador demuestre que las limitaciones del sitio requieren que uno o más empleados estén bajo el pescante, aguilones, u otros componentes cuando los pasadores (u otros aparatos similares) se retiren, el director de A/D debe poner en práctica los procedimientos que minimizan el riesgo de movimiento peligroso sin intención y minimizan la duración y extensión de la exposición bajo el aguilón.

Límites de capacidad

No exceda los límites de la capacidad nominal para cargas impuestas al equipo, componentes de equipo (incluyendo aparejos), orejeras para levantar, y accesorios de equipo. Esta prohibición se aplica durante toda fase de ensamblaje/des-ensamblaje.

Note que cuando se usa una grúa auxiliar durante el ensamblaje/ des-ensamblaje de otra grúa o cabria, se deben cumplir los requisitos de capacidad nominal durante las operaciones.

Protección de caídas

Para montaje/ desmontaje, su empleador debe proveer y asegurar el uso de equipo de protección de caídas para empleados que están en una superficie para andar y trabajar a más de 15 pies sobre un nivel más bajo y que no cuenta con un lado de protección, excepto cuando el empleado esté en o cerca de las partes que retractan (cuando funciona el equipo), en la cabina o en una plataforma.

Peligros específicos

El director de A/D director que supervisa el ensamblaje/des-ensamblaje, debe reconocer los peligros asociados con esa actividad y resolverlos con métodos que le protejan a usted de esos peligros. El director de A/D debe consi-derar cada peligro, determinar los medios apro-piados para resolverlo, y vigilar la puesta en práctica de ese método.

Control del área de trabajo

La rotación de la superes-tructura de una grúa puede causar lesiones serias o muerte a empleados que trabajan cerca de la grúa. Específicamente, hay dos peligros que los empleados necesitan saber:

- Que la superestructura rotante les golpee, y

- Ser triturados contra otra parte de la grúa o contra otro objeto por la rotación de la superestructura.

Debe saber reconocer estas áreas peligrosas donde usted puede exponerse a peligros. Para ayudarle con esto, su empleador debe levantar y mantener cables de control, de advertencia, pasamanos o barreras similares que marquen los límites de las áreas peligrosas. Un tipo de barrera que se usa a menudo se conecta directamente a la grúa y se mueve con el equipo.

Hay una excepción y es cuando el empleador puede demostrar que no es posible levantar tales barreras sobre el suelo o el equipo. En tal caso, las áreas de peligro deben marcarse claramente con una combinación de letreros de advertencia como "DANGER — SWING/CRUSH ZONE" (Peligro Zonas de Oscilación y Trituración) y marcas altamente visibles en el equipo identificando la zona de peligro. Comprenda lo que esto significa.

Área de peligro de grúa

Habrá veces en las que usted tendrá que ir parcialmente dentro del área de peligro de oscilación de la grúa — que está fuera de la vista del operario de la grúa. Antes, dígale al operario de la grúa (o haga que un compañero se lo diga) lo que usted va a hacer.

Cuando el operario sabe que un empleado fue al área peligrosa, el operario debe no rotar la superestructura hasta que el operario esté informado — de acuerdo con un sistema de comunicación preestablecido — que el empleado está en un lugar seguro.

Peligro con grúas cercanas

Si hay varias grúas funcionando una cerca de otra, y si cualquier parte de una grúa o cabria se halla dentro del radio de trabajo de otra grúa o cabria, CE debe instituir un sistema para coordinar operaciones. Si no hay CE, el empleador o los empleadores  deben desarrollar e instituir tal sistema.

Reflexiones sobre zonas de caídas

Cuando hay muchos obreros de construcción en una obra, no siempre es posible dirigir una carga suspendida de una manera en que todo empleado esté lejos de la carga todo el tiempo. Esto se puede complicar más con la obligación de cumplir con los requisitos locales sobre seguridad pública cuando una ruta alterna haría que la carga fuera por una calle con tráfico público.

Hay también esas situaciones donde el operario del equipo no está moviendo la carga, sino que la carga está suspendida y se queda en un sitio. En estas situaciones estáticas no se permite a nadie estar bajo la zona de caída de la carga. La única excepción son empleados:

- Ocupados en enganchar, desenganchar, o guiar una carga;

- Ocupados en la conexión inicial de la carga a un componente o estructura; o

- Manejando una tolva o balde para concreto.

OSHA define una "zona de caída" como el área que incluye, mas no se limita, al área directamente bajo la carga en la que es razonable prever que materiales parcial o completamente suspendidos pudieran caerse en caso de accidente.

Estabilizando la carga

Si usted está ocupado en enganchar, desenganchar, o guiar la carga, o en la conexión inicial de una carga a un componente o estructura y está en la zona de carga, todo lo que sigue se aplica:

- Los materiales que se icen deben estabilizarse para prevenir desplazamiento no planificado.

- Deben usarse ganchos con cerrojos automáticos o su equivalente. Excepción: Se permite usar ganchos "J" para fijar armazones de madera. Esta excepción está hecha para permitir que el armazón se desenganche sin la necesidad que un empleado vaya al armazón. Esto evita la exposición adicional de peligro de caídas que de otro modo ocurrirían al salir sobre la armazón para desenganchar el cerrojo.

- Los materiales deben aparejarse por un aparejador cualificado.

Recepción de una carga

Se permite sólo estar dentro de la zona de caída a los empleados necesarios para recibir una carga cuando se deposita una carga.

Operaciones para inclinar hacia arriba o abajo

Para eliminar el riesgo de que una carga le golpee o triture, debe estar al tanto de las operaciones de "inclinar hacia arriba o abajo," lo que significa subir o bajar una carga de la posición horizontal a la vertical o de la vertical a la horizontal. En estas operaciones, un extremo del componente, tal como un panel prefabricado, o se:

- Sube, inclinando el componente hacia arriba, usualmente de una posición horizontal (a menudo sobre el suelo) a una posición vertical; o se

- Baja, inclinando el componente hacia abajo, usualmente de una posición vertical a una posición horizontal sobre el suelo u otra superficie.

Durante una operación de inclinar hacia arriba o abajo:

- Ningún empleado debe estar directamente bajo una carga.

- Se permiten sólo a empleados esenciales para la operación en la zona de caídas, pero no directamente bajo la carga.

OSHA considera que un empleado es "esencial para la operación" si el empleado está ocupado en una de las siguientes operaciones y el empleador puede demostrar que no es posible realizar esa operación desde fuera de la zona de caídas:

- Guiar físicamente la carga;

- Monitorear de cerca y dar instrucciones sobre el movimiento de la carga; o

- Se la separa o se la conecta inicialmente a otro componente o estructura tal como, pero no limitada a, hacer una conexión inicial o a instalar apoyos.

Señales de peligro

Al dejar equipo desatendido, usted debe asegurarse de que barricadas o líneas de precaución, y avisos, se coloquen para prevenir a otros empleados que entren en la zona de caídas. No obstante, esto es un solo tipo de advertencia al que debe prestar atención.

El otro tipo es el de rotular fuera de servicio a equipo o funciones. Específicamente, cuando su empleador ha sacado fuera de servicio a equipo, se debe colocar un rótulo en la cabina indicando que el equipo está fuera de servicio y no se debe usar. Cuando el empleador ha puesto fuera de servicio a una función o funciones, se colocará un rótulo en un lugar conspicuo indicando que esa función o funciones está(n) fuera de servicio y que no debe(n) usarse. Si hay una advertencia de bloqueo y rotulación o de "MAINTENANCE/DO NOT OPERATE" en español "MANTENIMIENTO, NO OPERE" sobre cualquier Interruptor o control, usted no debe activar aquel interruptor o control hasta que una persona autorizada remueva el letrero o rótulo, o hasta que el operador haya verificado que se han cumplido con los requisitos.

Protección de caídas

Caídas de grúas

Un estudio reciente sobre muertes relacionadas con grúas en la industria de la construcción en EEUU, determinó que 2 por ciento de las muertes era por caídas. Caídas de grúas, particularmente cuando el operario entraba o salía de la grúa, también causaban numerosas lesiones no mortales a obreros de la construcción.

Entrenamiento

Su empleador debe entrenar a cada empleado que se exponga a peligros de caídas, al estar sobre, o ser levantados por el equipo cubierto por la Subparte CC. El entrenamiento debe consistir de:

- Los requisitos de protección de caídas apuntados en este capítulo, y

- Los requisitos aplicables de protección de caídas en Subparte M — Protección de caídas (1926.500 y 1926.502).

Tipos de protección de caídas

El equipo de protección de caídas se define como sistemas de pasamanos, sistemas de redes de seguridad, sistemas de detención de caídas, sistemas de dispositivos posicionales, o sistemas de restricción de caídas. La quinta categoría de equipo de protección de caídas, conocido como sistema de restricción de caídas, se define como un sistema de protección de caídas que previene que el usuario caiga cualquier trecho. El sistema se compone ya sea de una correa para el cuerpo o de un arnés para el cuerpo, junto con un ancla, conexiones y otros equipos necesarios. Los otros componentes típicamente incluyen una cuerda, y pueden también incluir una cuerda salvavidas y otros aparatos.

Los tipos de protección de caídas requeridos para grúas son iguales que los tipos de protección de caídas requeridos por otros estándares de OSHA.

Instalación y mantenimiento de protección de caídas

La siguiente información es para los fabricante de grúas y para empleadores. Se menciona aquí para que esté usted al tanto de los requisitos.

Pasillos de aguilones — Equipo fabricado después del 8 de noviembre de 2011, con aguilones de enrejado debe estar equipado con pasillos sobre el aguilón, si el perfil vertical del aguilones (del centro de la cuerda al centro de la cuerda) es de 6 o más pies.

Peldaños, asideros, escaleras, pasamanos, barandas y rejas — El empleador debe mantener en buena condición los peldaños, asideros, escaleras, barandas y rejas originales. Equipo fabricado después del 8 de noviembre de 2011, debe estar equipado para proveer acceso y egreso seguros entre el suelo y el(los) puesto(s) de trabajo del operario, incluyendo las posiciones delanteras y traseras con la provisión de tales dispositivos.

El equipo existente hecho antes del 8 de noviembre de 2011, no tiene que ser adaptado para acomodar los nuevos peldaños, asideros y barandillas simplemente porque el diseño existente no cumple con los requisitos de la Subparte CC.

Sistemas personales de detención y restricción de caídas

Si se requiere que use sistemas personales de detención y restricción de caídas, los componentes deben estar en conformidad con lo apuntado en 29 CFR 1926.502(d) excepto bajo 1926.502(d)(15). Es importante notar que se deben usar correas para el cuerpo o arneses en los sistemas personales de detención y restricción de caídas.

Los operarios no necesitan estar atados cuando se muevan hacia o de sus cabinas de grúas.

No se requiere protección de caídas para empleados en cubiertas, puesto que típicamente se ha diseñado ese equipo con el fin de que los empleados no se expongan al peligro de caídas.

Para trabajo que no sea de montaje/desmontaje, los empleados deben usar el equipo de protección de caídas provisto cuando estén sobre una superficie para andar/trabajar con un lado o filo sin proteger a más de 6 pies sobre un nivel inferior cuando se mueven de un punto a otro. Dicho de otro modo, cuando el empleado esté en proceso de ir y volver de un puesto de trabajo. Esto incluye:

- **Moverse de un punto a otro en aguilones no de enrejado así sean horizontales o no.** Los aguilones no de enrejado generalmente presentan más peligros a los obreros que deben andar sobre ellos para llegar a otras áreas de trabajo, dispositivos, y equipo que los aguilones de celosía. Los aguilones no de enrejado son típicamente aguilones extensibles y la superficie está normalmente aceitosa por los mecanismos hidráulicos.

- **Moverse de un punto a otro en aguilones de enrejado que no son horizontales.** Un empleado tal vez necesite trasladarse de un punto a otro en un aguilón de enrejado para inspeccionar una pieza que pudiera precisar reparación, o para reparar. En muchos casos tal vez el aguilón no sea horizontal puesto que las limitaciones de espacio dificultan bajar el aguilón para realizar el trabajo. Ya que el aguilón estaría elevado, habría normalmente un punto sobre el nivel de los pies del obrero para conectar la cuerda.

- **Moverse de un punto a otro en aguilones horizontales de enrejado donde la distancia de caída es 15 pies o más.** Se usa la distancia mínima de 15 pies porque un sistema de restricción de caídas atado al nivel de los pies del empleado, con una cuerda lo suficientemente larga para permitir al empleado el espacio de movimiento necesario para el trabajo, tal vez no prevenga que el empleado se caiga al próximo nivel inferior.

- **Mientras se esté en el puesto de trabajo sobre cualquier parte del equipo incluyendo el aguilón, de cualquier clase.** La excepción se aplica cuando el empleado está en o cerca del equipo que mueve la cuerda mientras funciona el equipo, en la cabina, o en la cubierta.

Para trabajo de montaje/desmontaje, los empleados deben usar el equipo provisto de protección de caídas cuando trabajen en superficies para andar/trabajar con un lado o filo sin protección a más de 15 pies sobre un nivel más bajo, excepto cuando el empleado está:

- Junto a o cerca de equipo que mueve la cuerda (drawworks) (v.g., tambores rotantes y poleas) mientras el equipo funciona,

- En la cabina, o

- Sobre la cubierta.

Inspecciones cada turno y cada mes

Dependiendo de sus responsabilidades en el trabajo, tal vez se le requiera, o no, hacer inspecciones. Hay requisitos de inspección para una persona competente, una persona cualificada, y/o un ingeniero profesional registrado, cuando se deben realizar ciertas tareas en una grúa o cabria o en los componentes de los equipos.

En concreto, los tipos de inspección que deben realizarse se dividen en tres categorías — de cada turno, mensuales, y anuales/globales. Aunque OSHA especifica cuando deben ocurrir las inspecciones y lo que se debe inspeccionar, una visión general rápida de la obra y de los componentes que se deben inspeccionar es beneficiosa. Las inspecciones o controles deben ocurrir cuando haya:

- Montaje/desmontaje

- Modificación

- Reparación/ajuste

- Mecanismos

- Cuerda de alambre

- Dispositivos de seguridad

- Ayudas operativas

- Servicio severo

- Equipo no usado regularmente

Empéñese en trabajar con seguridad

A OSHA le ha tomado 40 años desarrollar un reglamento para nuevas Grúas y Cabrias de Construcción que se remita a adelantos en diseño de equipos, peligros relacionados, y a las cualificaciones de empleados necesarios para operarlas con seguridad. Estar al tanto de los peligros en una obra y tomar precauciones necesarias para cuidarse y cuidar a sus compañeros de trabajo al estar atareado con o cerca de grúas contribuirá significativamente a reducir el número de accidentes y muertes relacionados con grúas.

NOTES

Repaso de grúas y cabrias

1. Una persona capaz de identificar peligros existentes y predecibles en el entorno o en las condiciones para laborar se llama:
   a. Persona cualificada
   b. Persona competente
   c. Entidad de control
   d. Propietario de la empresa

2. Para determinar si el suelo puede soportar el montaje de una grúa, la entidad de control debe asegurarse que:
   a. La tierra esté firme, drenada, y nivelada
   b. Los materiales de soporte no estén a la disposición
   c. La carga cumpla con los requisitos del operador de la grúa
   d. Todo lo de arriba

3. Para protegerse de descarga eléctrica, debe considerar a todo cable de tensión como:
   a. Desactivado
   b. Activado o energizado
   c. Conectado a tierra
   d. Todo lo de arriba

4. Una grúa, línea de carga, o carga no debe acercarse a un cable de tensión _____ si no se utilizan otras opciones.
   a. 10 pies
   b. 20 pies
   c. 30 pies
   d. 40 pies

5. La diferencia de voltaje entre los dos pies de una persona de pie cerca de un objeto a tierra energizado se llama:
   a. Toque potencial
   b. Paso potencial
   c. Zonas Energizadas
   d. Todo lo de arriba

6. Para trabajo de montaje/desmontaje, usted debe usar equipo de protección de caídas en superficies para andar/laborar sin un lado o filo protegido a más de ___ sobre un nivel inferior.
   a. 6 pies
   b. 15 pies
   c. 25 pies
   d. 30 pies

7. Se puede reconocer el control del área de trabajo por el uso de:
   a. Cuerdas de advertencia
   b. Protección de caídas
   c. Dispositivos para rotular fuera de servicio
   d. Dispositivos para bloquear fuera de servicio

8. Cuando se deje desatendida una grúa, el operario debe instalar:
   a. Barricadas o cuerdas de precaución
   b. Avisos
   c. Rótulos
   d. a y b

9. Los tipos de equipo de protección de caídas que se pueden usar incluyen:
   a. Sistemas de barandillas
   b. Sistemas de redes de seguridad
   c. Sistemas personales de detención de caídas
   d. Todo lo de arriba

10. Los tipos de inspecciones que se pueden hacer en una grúa o cabria incluyen:
    a. Semanales
    b. En cada turno
    c. Bimensuales
    d. Semi-anuales

SEGURIDAD ELÉCTRICA: UN PELIGRO QUE LE ELECTROCUTA

La electricidad se ha vuelto esencial para la vida moderna. Sin embargo, como es una parte tan familiar a nuestro entorno, la electricidad no es a menudo tratada con el respeto que se merece. Sea identificado a la electricidad como un peligro del lugar de trabajo. Alambrado expuesto de las cajas de conexión, cordones de extensión averiados, e instalaciones provisionales son algunos de los peligros eléctricos que los trabajadores confrontan diariamente. Y la electricidad puede ser mortal, exponiéndole a peligros como descarga eléctrica, el electrocución, incendios, y explosiones.

Ejemplos de peligros eléctricos

Los peligros eléctricos incluyen, pero no están limitados ha contacto con líneas eléctricas, falta de protección defecto a tierra, sendero a tierra faltante o descontinuado, equipo que no está usado en una manera correcta y uso inapropiado de cordones de extensión o flexibles.

OSHA dice

OSHA requiere a su empleador que no sólo provea equipo y situación de trabajo sin peligros, sino que dé entrenamiento en prácticas de trabajo eléctrico seguras. Los requisitos que son necesarios para salvaguardar a los empleados que hacen trabajo de construcción se pueden encontrar bajo las regulaciones de OSHA en Subparte K de 29 CFR 1926. Están  dividos en cuatro secciones mayores: requisitos de seguridad para instalar y usar equipo, prácticas de trabajo relacionadas a la seguridad, asuntos de mantenimiento y del ambiente relacionados a la seguridad y requisitos de seguridad para equipo especial.

¿Cómo funciona la electricidad?

Para manejar la electricidad con seguridad, uno necesita entender como actúa, cómo puede ser dirigida, y los peligros que presenta, y cómo estos peligros pueden ser controlados. Cuando usted enciende su sierra circular, o energiza un disyuntor, usted permite que la corriente fluya de la fuente de generación, por medio del conductores (alambres) al lugar donde se la exige o donde hay una carga (de equipos o luces).

Se necesita un circuito completo para que la electricidad fluya a través de un conductor. Un circuito completo está constituido de una fuente de electricidad, un conductor, y un aparato que consume (carga), tal como un taladro portátil.

Voltios = Corriente × Resistencia (o V=IR) es una ecuación que se la conoce como la Ley de Ohmnio. La ecuación demuestra la relación entre tres factores. Esta relación hace posible el cambiar la calidad de una corriente eléctrica pero mantiene equivalente a la cantidad de potencia eléctrica.

Tiene que existir una fuerza o presión antes de que el agua pueda fluir a través de un tubo. De manera similar, los electrones fluyen a través de un conductor porque se ha ejercido una fuerza electromotriz (EMF en inglés). La unidad para medir esta EMF es el voltio.

Para que se muevan los electrones en una dirección particular, debe haber una diferencia potencial entre dos puntos de la fuente EMF. El movimiento continuo de los electrones que pasan un punto dado es lo que se conoce como corriente. A ésta se la mide en amperios.

El movimiento de electrones a lo largo de un conductor enfrenta alguna oposición. Esta oposición es lo que se conoce como resistencia. A la resistencia se la mide en ohmnios. La cantidad de resistencia que ofrecen diferentes materiales varía. Por ejemplo, la mayoría de los metales ofrecen poca resistencia al paso de corriente eléctrica. Sin embargo, vidrio, mica, caucho, plástico, o madera, tienen una resistencia alta al flujo de electricidad.

¿Cuáles son los peligros de electricidad?

Los peligros principales de la electricidad son la descarga eléctrica y la posible electrocución, quemaduras, golpe de arco, explosión y fuego.

Golpe eléctrico

La corriente eléctrica viaja en circuito cerrado. Uno sufre una descarga eléctrica cuando alguna parte del cuerpo se convierte en parte del circuito eléctrico. Una corriente eléctrica entra al cuerpo en un lugar y sale del cuerpo en otro lugar. Usted recibirá una descarga eléctrica si toca:

- Ambos alambres de un circuito eléctrico.

- Un alambre de un circuito con energía eléctrica y la tierra.

- Una parte metálica que está "viva" porque está en contacto con un alambre con energía y usted está en contacto con la tierra.

Cuan severa es la descarga, depende en varios factores:

- Cuanta corriente eléctrica está fluyendo a través de su cuerpo (medida en amperios).

- El camino que la corriente eléctrica toma a través de su cuerpo.

- Cuanto tiempo está el cuerpo como parte del circuito eléctrico.

Los efectos de una descarga eléctrica en el cuerpo cubren una gama que va desde un pequeño cosquilleo a paro cardiaco inmediato. Voltajes bajos pueden ser tan mortales como voltajes altos, si el cuerpo es parte del circuito por más tiempo.

¡EL VOLTAJE BAJO NO SIGNIFICA PELIGRO BAJO!

Agua y descarga eléctrica

El agua presenta una situación interesante y potencialmente peligrosa. En su estado puro, agua es un mal conductor de electricidad. Sin embargo, si están presentes pequeñas cantidades de impurezas en el agua, (la sal y el ácido en el sudor por ejemplo), se vuelve un conductor eléctrico capaz.

Por lo tanto, si hay agua en su lugar de trabajo, o en su piel, tenga cuidado especial con cualquier fuente eléctrica. Descuido, con una combinación de agua y electricidad, le podría costar su vida.

Quemaduras y otras lesiones

Una quemadura eléctrica es una de las lesiones más serias que uno puede recibir, y debería tener atención inmediata. Una descarga eléctrica fuerte puede causar mucho más daño al cuerpo de lo que es visible. Por ejemplo, una persona puede sufrir desangre interno y destrucción grave de los tejidos, músculos, nervios, y órganos internos. Este es el resultado de la corriente que fluye a través del tejido o hueso, generando calor, y causando heridas. Adicionalmente, la descarga es a menudo solamente el comienzo de una cadena de eventos. La lesión final puede más bien resultar de una caída, cortes, quemaduras, o huesos rotos.

Arcos y chisporroteo

Los arcos y chisporroteo ocurren cuando corriente de amperaje alto saltan de un conductor a otro a través de aire, generalmente durante el acto de encender o apagar un circuito, o cuando electricidad estática ha sido descargada. Fuego podría ocurrir si el arco ocurre en una atmósfera que contiene una mezcla explosiva de gases combustibles. Además, el arco podría encender otros materiales inflamables.

Explosiones

Las explosiones ocurren cuando la electricidad proporciona la fuente de encendido a una mezcla explosiva en la atmósfera. El encendido puede ser causado por conductores o equipo, con exceso de calor, o los arcos que normalmente ocurren en los contactos de un interruptor. Los estándares de OSHA, el *Código Eléctrico Nacional,* y estándares de seguridad relacionados, tienen requerimientos precisos para sistemas eléctricos y equipo cuando se los aplica a tales áreas. A su empleador se le requiere hacer una valoración del peligro y darle instrucciones en estos casos.

Incendios

La electricidad es una de las causas más comunes de incendios. Conexiones con resistencia alta, una fuente primordial de encendido, ocurren donde se han unido alambres inapropiadamente, o se los ha conectado inapropiadamente a otros componentes, tales como tomas de corriente e interruptores.

El calor se desarrolla en un conductor como resultado del flujo de la corriente. Si usted pone más corriente a través de un conductor que lo este conductor pueda manejar, se calentará lo suficiente como para causar un incendio.

Causas de accidentes eléctricos

Cuando esté trabajando con electricidad, los accidentes y lesiones son causados por una combinación de los siguientes factores:

- Equipo y/o instalación insegura.

- Lugares de trabajo inseguros causados por factores del medio ambiente.

- Prácticas inseguras de trabajo.

Reporte la existencia de equipo, instalaciones de equipo y lugares de trabajo inseguros a su empleador. Acostúmbrese a trabajar en forma segura.

Evitando accidentes eléctricos

La protección contra riesgos eléctricos es una manera de prevenir accidentes causados por corriente eléctrica. Los métodos protectores para controlar los peligros eléctricos incluyen aislamiento, dispositivos de protección eléctrica, defensas, cone-xiones a tierra, equipo de protección personal (PPE en inglés), y prácticas de trabajo seguras.

Aislamiento

El aislamiento previene que los conductores estén expuestos. Mientras que OSHA requiere que el aislamiento sea apto para el voltaje y las condiciones bajo las cuales se usará el aparato, tales como temperatura, niveles de humedad, y emisiones de humo, está en su mejor interés el verificar su equipo observando que no tenga ninguna falla en el aislamiento. Verifique si hay alambres expuestos, aislamiento desgastado en cordones eléctricos, alambres donde la parte metálica está saliendo a través del aislamiento, y alambres rotos. Recubrimientos que no conducen, en los mangos de herramientas, también son una ayuda en el aislamiento contra descarga eléctrica.

Aparatos para protección de circuitos

Aparatos para protección de circuitos, que incluyen fusibles, disyuntores, y disyuntores de circuito en caso de defecto de conexión a tierra (GFCI's en inglés), son imprescindibles para la seguridad eléctrica. Estos aparatos están diseñados para limitar o cerrar automáticamente el flujo de electricidad en el sistema de alambres, en caso de un defecto de conexión a tierra, sobre carga, o corto circuito.

Los fusibles y disyuntores son aparatos que perciben exceso de corriente y se los pone en circuitos para monitorear la cantidad de corriente que el circuito está llevando. Se abren o rompen el circuito automáticamente cuando el flujo de corriente se vuelve excesivo y por lo tanto inseguro.

A los fusibles y disyuntores se los usa para proteger conductores y equipo. Evitan el sobre calentamiento de alambres y componentes que podrían crear peligros para trabajadores. También abren el circuito bajo ciertas condiciones, como en condiciones de defecto a tierra.

Sin embargo, el único aparato de protección eléctrica cuyo único propósito es el de proteger a personas, es el interruptor de circuito que percibe defecto a tierra. El GFCI no es un dispositivo para sobre corriente. Percibe un desequilibrio en flujo de corriente sobre el camino normal y abre el circuito en una fracción de segundo.

Aunque el GFCI no protege a la persona de los peligros entre línea y línea (sosteniendo dos alambres vivos, o un alambre vivo y un alambre neutro), efectivamente da protección contra la forma más común de riesgos eléctricos para los trabajadores en construcción, el defecto de conexión a tierra.

A pesar que la mayoría de las herramientas eléctricas tienen un conductor que conecta el equipo a tierra, y muchos están aislados de forma doble, estos métodos no son seguros el 100 por ciento. Un alambre a tierra podría romperse, o el cordón podría volverse defectuoso. Usando un GFCI protege contra estos problemas de aislamiento.

Defensas

Cualquier parte "viva" del equipo eléctrico operando a 50 voltios o más debe ser protegida para evitar contacto accidental. A esta protección se la puede conseguir instalando equipo:

- En un recinto, cuarto, o bóveda;

- Detrás de mallas, jaulas, o separaciones substanciales;

- En un balcón, plataforma, o galería elevada; o

- Por lo menos 8 pies sobre el piso de una área de trabajo.

Cualquier entrada a un lugar que contenga partes "vivas" de equipo eléctrico debe ser marcada con rótulos de advertencia. Estos rótulos deben prohibir la entrada a todos, con excepción de las personas capacitadas.

Conexión a tierra

Se requiere conexión a tierra para protegerle de descargas eléctricas, contra incendios, y contra daño a equipo eléctrico. Hay dos tipos de conexiones a tierra:

- La conexión a tierra de un circuito o sistema eléctrico se consigue cuando un conductor del circuito se conecta intencionalmente a la tierra. Esto protege al circuito si cae un rayo u ocurre otro tipo de contacto con alto voltaje. La conexión a tierra de un sistema también estabiliza el voltaje en el sistema, de manera que "niveles esperados de voltaje" no son excedidos bajo condiciones normales.

- Conexión a tierra del equipo ocurre cuando el conductor a tierra de este equipo proporciona un camino para devolver, a la conexión a tierra del sistema, cualquier corriente defectuosa y peligrosa que pudiera resultar, si el aislamiento del circuito falla.

Cuando se conecta equipo eléctrico a tierra, se crea intencionalmente un camino de baja resistencia hacia la tierra. Este camino tiene suficiente capacidad para llevar corriente, para prevenir cualquier amontonamiento de voltaje en el equipo.

La conexión a tierra no garantiza que uno nunca va a recibir una descarga eléctrica. Por lo tanto, asegúrese que cualquier equipo donde usted trabaje esté conectado a tierra de manera apropiada y que usted no pase por un lado a los dispositivos de conexión a tierra (tales como rompiendo la conexión de tierra, la "pata" redonda, en los enchufes de equipo portátil de potencia).

Programa para garantizar conductor de conexión segura a tierra del equipo

El programa para garantizar conductor seguro a tierra de equipo es un programa de inspección que cubre:

- Todos los juegos de cordones (cordones de extensión).

- Receptáculos que no sean parte del alambrado permanente de la estructura.

- Equipo conectado por cordón y enchufe.

Este programa de inspección incluye equipo eléctrico que se debe inspeccionar visualmente verificando que no haya daños o defectos antes del uso diario. No debe usarse ningún equipo averiado o defectuoso hasta que haya sido reparado.

Bajo este programa, OSHA requiere que se haga las dos siguientes pruebas: antes de la primera vez que se use equipo nuevo, después de que se sospeche daño o avería a equipo, y a intervalos de tres meses:

- Un examen de continuidad para asegurar que el conductor a tierra del equipo, este eléctricamente continuo.

Se debe hacer esta prueba en receptáculos que no son parte del alambrado permanente del edificio o estructura, en todos juegos de condones, y en equipo que sea conectado por cordón y enchufe, donde se requiere que esté conectado a tierra.

- Un examen para asegurar que el conductor de tierra del equipo esté conectado a su terminal apropiado. Este examen debe hacerse a receptáculos y enchufes.

Equipo de protección personal

Si usted trabaja en un lugar donde hay riesgos potenciales eléctricos, su empleador debe suministrarle con equipo de protección. Usted debe usar el equipo de protección eléctrico (véase 29 CFR 1926 Subparte E) apropiado para las partes del cuerpo que necesiten protección, y para el trabajo a ha-cerse. Un ejemplo de estos sería el requerimiento de OSHA de usar guantes aislados y no conductores cuando se use un martillo neumático, si hay la posibilidad de golpear líneas eléctricas subterráneas.

Prácticas de trabajo seguras para trabajar con electricidad

Si su tarea requiere que usted trabaje con equipo eléctrico, usted necesita tener un gran respeto a esta fuerza o potencia. En general, usted debe estar seguro de usar herramientas que estén en buena condición, usar buen juicio cuando trabaje cerca de líneas eléctricas, y usar el equipo de protección apropiado.

Bloqueo/rotulación

¡Sorprendiéndose con la presencia de una corriente eléctrica inesperada cuando usted esté trabajando en algún equipo, no es chistoso! Antes de que una persona autorizada comience a hacer cualquier trabajo de reparación o inspección en equipo eléctrico, debe apagarse la corriente en la caja de fusibles o  disyuntores y bloquear o poner con candado en la posición "OFF" (apagada) a este interruptor de desconexión. Uno también debe rotular este interruptor o control. La etiqueta debería indicar cuales circuitos, o cual equipo está fuera de servicio.

Precauciones generales

Las reglas generales siguientes son aplicables a toda tarea en su lugar de trabajo:

- Mantenga su equipo eléctrico de acuerdo a los estándares del fabricante y de la compañía.

- Respete cualquier rótulo o etiqueta, cercas u otras barreras o defensas para riesgos eléctricos especiales.

- Inspeccione regularmente herramientas, cordones, cone-xiones a tierra, y accesorios, antes de comenzar a trabajar todos los días.

- Haga reparación solamente a las cosas o artículos que usted esté autorizado a reparar. Si no es capacitado para estas reparaciones, consiga que alguien capacitado repare o reemplace el equipo inmediatamente.

- Use las características de artículos de seguridad tales como enchufes de tres patas, herramientas aisladas en forma doble, e interruptores de seguridad. Mantenga las defensas de la máquina en sitio y siga los procedimientos apropiados.

- Instale o repare equipo solamente si usted es capacitado y autorizado para hacerlo. Un trabajo mal hecho puede causar un incendio o lesionar gravemente a usted y a otros trabajadores.

- Mantenga limpios a los cables y cordones eléctricos al equipo y no los doble, amarre o pellizque. Nunca acarree equipo sosteniéndolo desde el cordón.

- Los cordones de extensión son más vulnerables a daño. Úselos y manténgalos de forma apropiada. Nunca:

  - Use cordones desgastados o deshilachados.

  - Sujételos con grapas, cuélguelos sobre clavos, o suspéndalos por medio de un alambre, o cualquier otro método que podría averiar el aislamiento, y

  - Páselos a través de huecos en las paredes, techos, pisos, o aberturas de puertas, o ventanas, sin darles protección.

- No toque el agua, superficies húmedas, metal subterráneo o cualquier alambre sin aislamiento si éstos no están bien protegidos. Use guantes aprobados de caucho o hule cuando esté trabajando con alambres "vivos" o superficies que no estén conectadas a tierra, y use zapatos o botas con suelas de caucho cuando esté trabajando en superficies mojadas, o húmedas.

- No use objetos de metal (anillos, relojes, etc.) cuando esté trabajando con electricidad. Estos pueden hacerle más accesible a la tierra y esto le podría causar lesiones o lastimarlo.

- Si usted está trabajando cerca de líneas de potencia eléctrica que pasan por encima que lleven 50 kilovoltios (kV) o menos, usted o su equipo no pueden acercarse a una distancia de menos de 10 pies de estas líneas. Añada 4 pulgadas de distancia por cada 10 kV sobre 50 kV.

Trabaje hacia el propósito de trabajar con seguridad

La seguridad debería ser lo principal en mente cuando se trabaje con equipo eléctrico. Ya que uno encara riesgos provenientes de las condiciones del sitio de trabajo, sus herramientas, y  la electricidad que les da potencia, use equipo de protección cuando esto se ha especificado, use los proce-dimientos de seguridad, y trabaje correctamente con las herramientas. Nunca deje que una confianza optimista le lleve a tomar riesgos innecesarios. Si no está seguro, no lo toque.

REPASO SOBRE SEGURIDAD ELÉCTRICA

1. Peligros que pueden causar lesiones eléctricas incluye:
    a. Circuito incompleto
    b. Dispositivo que percibe defecto a tierra
    c. Cordón de extensión agrietado ✓
    d. XUso apropiado de equipo

2. El entendimiento de cómo funciona electricidad requiere conocimiento de:
    a. Voltios = corriente x resistencia ✓   42   P9.
    b. Corriente = Resistencia x voltios
    c. Resistencia = Voltios x corriente
    d. Ley de Murphy

3. Para que ocurra el flujo de energía, necesita una combinación de:
    a. Una fuente de generación, conductor, carga ✓
    b. Electricidad, alambrado, equipo
    c. Fuente de voltios, flujo de electrones, aparato de consume
    d. Todo lo de arriba ✓

4. Una descarga eléctrica puede resulta cuando su cuerpo está:
    a. Lejos de un circuito eléctrico
    b. Sin contacto con alambres de un y tierra de un circuito energizado
    c. Contactando dos alambres de un circuito eléctrico ✓
    d. Tolo lo de arriba

5. Un conductor de electricidad incluye:
    a. Madera
    b. Transpiración ✓
    c. Caucho (hule)
    d. Vidrio

6. Arcos ocurren cuando:
   a. Corriente de alto amperaje fluye a través del aire
   b. Circuitos están abriéndose o cerrándose
   c. Se descarga electricidad estática
   d. Todo lo de arriba ✓ Pg 44

7. Para prevenir accidentes eléctricos:
   a. Aísle ✓
   b. Ponga defensas en las partes de equipo de 30 voltios
   c. Pase por alto dispositivos de tierra
   d. a y b

8. Los dos tipos de tierra son:
   a. Aislamiento y EPP ✓ Pg 47
   b. Fusibles y GFCI's ✓
   c. Defensas y voltaje
   d. Circuitos eléctricos y equipo eléctrico ✓

9. El programa de Equipo Asegurado de Conductores de Tierra requiere que las pruebas siguientes se conduzcan antes de usar el equipo nuevo la primera vez:
   a. Prueba de continuidad
   b. Prueba de conductores de tierra ✓ Pg
   c. Inspección visual
   d. Todo lo de arriba ✓

10. El bloqueo y rotulación apropiados de equipo propulsado eléctricamente incluye:
    a. Dando, en el rótulo "de fuera de servicio," indicación que circuitos o piezas del equipo están incluidas
    b. Trabando con candado al interruptor en la posición ENCENDIDA
    c. Rotulando el área de trabajo
    d. Apagando el poder del equipo ✓

REACCIÓN A EMERGENCIAS: EL TRATO DE LOS INCIDENTES EN SITIO

A pesar de todos los esfuerzos para proporcionar un sitio de trabajo seguro y saludable, los accidentes siguen pasando. Aunque fuera una lesión personal, incendio, condición del tiempo, derrames químicos, u otras emergencias, preparándose anticipadamente a un evento no planificado es crítico para la seguridad. Para muchas compañías, un programa efectivo de seguridad y salud incluye Plan de Acción en Emergencia (EAPs en ingles), que establezca procedimientos que los empleados deben de hacer durante y después de una evacuación de emergencia.

Ejemplos de emergencias

¿Que constituye una emergencia? Una emergencia es un evento no planeado que puede causa la muerte o lesiones significantes a los empleados, clientes, o al público, o que pueden cerrar un lugar de trabajo, trastornar operaciones, causar daño físico o ambiental, o amenazar la ubicación financiera, o imagen pública de la compañía. Estos eventos pueden resultar de amenazas naturales, relacionadas a clima, causadas por el hombre, o tecnológicas.

OSHA dice

OSHA ha emitido numerosas regulaciones cubriendo planificación y entrenamiento de emergencias para la construcción con el propósito de mantenerle a usted seguro. Éstas incluyen:

29 CFR 1926	Nombre
.24	Protección y prevención de incendios
.35	Planificación de acción en emergencia para empleados
.64	Administración de seguridad de proceso para químicos altamente peligrosos
.65	Operaciones de desechos peligrosos y reacción a emergencias (en inglés HAZWOPER)
.150-.155	Protección y prevención de incendios

Un empleador sólo tener un plan de acción de emergencia cuando un estándar particular de OSHA lo requiera. OSHA no requiere un plan formal de acción para tornados, terremotos, u otras condiciones severas del tiempo. Sin embargo muchos empleadores eligen desarrollar uno porque proporcionan directivas en cuáles acciones los empleados debieran tomar si ocurre una emergencia.

Elementos para un plan de acción en emergencias

El EAP de su compañía debería incluir los siguientes elementos:

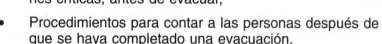

- La mejor manera de reportar un fuego y otras emergencias,

- Cuál es el sonido del sistema de alarma para diferentes tipos de emergencia,

- Procedimientos de escape en emergencia y las rutas que deberían tomarse,

- Procedimientos para los trabajadores que quedan atrás, para operar equipo o funciones críticas, antes de evacuar,

- Procedimientos para contar a las personas después de que se haya completado una evacuación,

- Deberes médicos y de rescate para empleados designados, y

- Nombres y títulos de las personas o departamentos a contactarse para más información acerca de los deberes bajo el plan.

A estos planes se los debe guardar en cada sitio de trabajo y deben estar disponibles a todos los empleados. Si su compañía tiene 10 empleados o menos, los EAPs no tienen que estar escritos. En vez de que estén escritos, su supervisor se los puede dar a usted verbalmente.

Entrenamiento para emergencias

Usted debe recibir entrenamiento:

* Cuando comience a trabajar por la primera vez,

* Cuandoquiera que cambien las responsabilidades de su trabajo, y

* Cuandoquiera que se desarrollen por primera vez, o que se cambien los EAPs.

Su empleador designará y entrenará ciertos empleados para que tengan responsabilidades adicionales con el propósito de facilitar una evacuación segura y ordenada.

Planes específicos de acción para emergencias

Administración para la seguridad del proceso

Si su compañía trabaja en mantenimiento o reparaciones, re-novación en grande, o trabajo de especialidad en una instalación donde es posible que haya exposición a químicos altamente peligrosos (tal como una planta petroquímica) se requiere tener un EAP. Su empleador es responsable por entrenarle a usted en los peligros potenciales conocidos en esta instalación específica y el EAP debe seguir después.

Protección/prevención de incendios

Aunque la mejor defensa contra un incendio es evitar que
éste ocurra, su empleador debe tener un plan de protección
y prevención de incendios en su lugar de trabajo. Estando
consciente de los riesgos y causas de incendios, puede ayudarle a prevenirlos y a protegerse usted mismo. También,
usted necesita saber qué hacer en caso de que un fuego
ocurra.

El fuego es una reacción caracterizada por la luz y calor de
combustión. Tiene cuatro componentes básicos: un combustible, calor o una fuente de encendido, oxígeno, y una
reacción en cadena (el proceso de combustión). Para que-
marse, el fuego necesita suficiente oxígeno para sostener
combustión, suficiente calor para llevar al material combustible a la temperatura de encendido o ignición, y algún tipo de
combustible para alimentar la reacción en cadena.

Aunque muchos materiales almacenados en su lugar de trabajo no son inflamables, otros materiales que se encuentran
comúnmente allí, son "combustibles potenciales." Estos incluyen productos de madera, tales como maderos; líquidos
inflamables, tales como gasolina y propano; y una variedad
de químicos.

No toma mucho tiempo para que un medio ambiente combustible se convierta en un incencio. Unos pocos minutos
pueden constituir la diferencia entre vida o muerte. Conociendo cómo reconocer las condiciones que llevan a un
incendio puede ayudar a prevenirlos.

Riesgos de incendio

Hay dos peligros de incendios mayores en su lugar de trabajo sobre los cuales usted tendría que tener consciencia y estar alerta, líquidos inflamables y combustibles, y aparatos de calefacción.

Líquidos inflamables y combustibles. Los líquidos inflamables emanan un vapor que puede encenderse. La combinación de este vapor con fuentes de ignición o encendido tales como una herramienta de mano que produce chispas, o una antorcha de cortar en el lugar de construcción, es una amenaza grave. Almacene y use líquidos inflamables y combustibles de una manera adecuada.

Solamente use recipientes aprobados y tanques portátiles para almacenar y manejar líquidos inflamables y combustibles. El recipiente debe ser rojo, y si el líquido inflamable tiene un punto de encendido a, o menos de 80°F, debe tener una banda amarilla, o el nombre del líquido peligroso, impreso en amarillo.

Aparatos de calefacción. Muchos incendios han ocurrido porque se usaron aparatos de calefacción inadecuadamente, o bajo las condiciones erróneas, o en ambientes equivocados. Adicionalmente, algunos aparatos de calefacción temporánea tienen peligros de humo y quemadura directa asociados con ellos. Por razón de estos riesgos de incendio, usted debería:

- Usar ventilación adecuada para reducir su exposición a humo peligroso;

- Mantener al calefactor lejos del material combustible inclu-yendo pisos de madera;

- Ubicar a los aparatos de calefacción en superficies estables y niveladas;

- No usar salamandras de líquido sólido, y;

- Garantizar que calefactores, actuados con aceite, tengan un control primordial de seguridad para detener o apagar el flujo de combustible, en caso de que haya una falla de las llamas.

Reacción a un incendio

A razón del peligro mortal de un incendio, usted debería saber cómo estimar el tamaño de un incendio y cómo reaccionar a una emergencia de incendio. Si usted se encuentra frente de una emergencia de incendio, es importante protegerse usted mismo y proteger a otros empleados.

Extintores de fuego

Sólo los empleados entrenados en forma apropiada deberían usar extintores de fuego. Si usted usa un extintor, ase-gúrese que es uno diseñado para el tipo de incendio. Usando un extintor con una substancia no apta para el incendio, puede incrementar la intensidad del fuego.

La Asociación Nacional de Protección a Fuegos (NFPA en inglés) ha clasificado el fuego en cuatro diferentes tipos basados en los materiales combustibles involucrados, y el tipo de extintor que se necesita para apagarlos. Las cuatro clasificaciones de fuego son A, B, C, y D. Cada clasificación tiene un símbolo especial y una identificación de color. Mire a sus extintores de fuego; las clasificaciones aparecerán en sus etiquetas como sigue:

Clase	Materiales quemándose	Agente extintor	Símbolo
A	Madera, papel, caucho, plásticos	Agua, químicos secos	△
B	Líquidos inflamables, gases, grasa	Dióxido de carbono, químicos secos	❑

Clase	Materiales quemándose	Agente extintor	Símbolo
C	Equipo eléctrico, alambrado, cajas de circuito, disyuntores maquinaria	Dióxido de carbono, químicos secos	○
D	Metales combustibles	Técnicas especiales, no use extintores comunes	☆

Hay también un extintor (extinguidor) Clase K que se usa para incendios en la cocina.

Si se puede contener o extinguir el fuego, una persona entrenada de forma apropiada, debe seguir el método "TAAM" para uso del extintor. Este método incluye el sostener al extintor en forma vertical, y:

- **T** ire el pasador, párese a una distancia de 8 a 10 pies,

- **A** punte hacia la base del fuego,

- **A** priete la palanca, y

- **M** ueva el chorro en forma de vaivén hacia la base del fuego, disparándole con el agente extintor.

Si usted apunta alto hacia las llamas, no apagará al fuego. Recuerde, que la mayoría de los extintores tienen un periodo de operación limitado, 8 a 10 segundos, de manera que tiene que moverse rápidamente y rociar la base del fuego correctamente, sin apuntar al humo o las llamas.

Operaciones de desechos peligrosos y reacción de emergencia (HAZWOPER en inglés)

En el trabajo de construcción, la verdad es que podría estar expuesto a químicos que se derraman o desechos peligrosos. Durante operaciones de excavación, muchas compañías de construcción han sido sorprendidas por lo que han encontrado. A veces, sitios de excavación, pueden volverse mortales.

Bajo HAZWOPER, su empleador puede, ya sea participar en el manejo de emergencias que incluyen desechos peligrosos o derrames químicos, o evacuar a los trabajadores inmediatamente y llamar a las cuadrillas entrenadas en HazMat. Bajo ninguna circunstancia OSHA permite que personeros que reaccionen a un derrame  químico, o limpieza de desechos peligrosos, lo hagan así sin entrenamiento apropiado.

¿Cómo puede HAZWOPER incluirle?

Entrenamiento muy específico requiere la preparación sobre liberaciones accidentales de químicos. OSHA ha preparado un programa de entrenamiento formal para las personas que reaccionan a emergencias bajo las regulaciones HAZWOPER, con un nivel de entrenamiento que cubre una gama que va desde capacitación para estar alerta a la primera reacción, a entrenamiento técnico para aquellas personas con la respon-sabilidad de resolver problemas asociados con la limpieza del derrame.

¿Qué debería hacer usted en caso de un derrame?

No importa si fue un derrame de algún sólido o líquido, re-cuerde que usted puede estar expuesto al polvo o vapor tóxico sin siguiera saberlo. Si usted está entrenado de una manera apropiada, actúe con cuidado y rapidez. Sin embargo, si no ha recibido el entrenamiento, **no reaccione** a un derrame químico. Al contrario, siga las instrucciones del EAP de la compañía para el reporte de derrames peligrosos y la evacuación.

Mientras es vital evitar el pánico, es también vital el sacar a las personas del peligro lo más rápidamente posible. Asesore los peligros del lugar y actúe solamente cuando no se ponga usted en peligro. Usted desea apoyar sus empleados compañeros, pero no podrá hacer esto, si usted se convierte en una de las víctimas.

Algunas de las cosas que usted puede hacer antes de que llegue ayuda son:

- Determine los peligros potenciales mirando a la hoja de datos de seguridad de materiales,

- Sepa acerca del equipo para el derrame y los personeros de seguridad,

- Sepa acerca de las salidas y las rutas de escape,

- Sepa la ubicación de los extintores de incendio, y

- Sepa primeros auxilios o donde usted puede obtener el equipo de primeros auxilios.

Actúe en una forma responsable en emergencias de derrames químicos

La seguridad se vuelve extremadamente importante cuando se ha derramado químicos peligrosos. Un error aquí podría ser mortal. Use el sistema de compañerismo, (trabaje con alguien más) no importa si usted es parte del equipo de reacción para emergencias o no. Nunca entre solo en una situación de emergencia química.

Diferentes químicos requieren diferentes niveles de ropa de protección y otras precauciones. No toque ningún material químico derramado sin protección. Evite la ropa contaminada de personas heridas. Por supuesto, si los químicos involucrados en esto no son peligrosos, reaccione inmediatamente dentro de su habilidad.

Haga solamente las tareas de reacción en emergencia para las cuales usted ha recibido entrenamiento adecuado. Examine el lugar para ver si hay riesgos potenciales, tales como cordones eléctricos o alambres cerca del derrame, u obstáculos en el camino de la cuadrilla de reacción a emergencias. Verifique si hay lesiones y heridas y notifique a los personeros médicos de la emergencia.

Trate de descontaminar a las víctimas si es posible. Coopere con los personeros de emergencia cuando lleguen. Infórmeles de cualquier información que haya obtenido.

Evacuación

La primera indicación de que existe un incendio u otra emergencia es a menudo el sonido o luz proveniente de una alarma. Los sistemas de alarma para empleados están diseñados a suministrar una advertencia para la acción de emergencia necesaria, como lo indica el programa de acción de emergencia de su compañía, o para su escape seguro del lugar de trabajo. El programa de su compañía indica su papel en este caso. Averigüe que se espera de usted en caso de un incendio u otra emergencia.

Su compañía podría conducir ejercicios en lo que se debe hacer en caso de incendio. Durante esos ejercicios, aprenda donde están las salidas y cómo evacuar del área afectada. Practique la manera de llegar a su área designada de la manera más rápida, ordenada, y segura, donde se contarán a las personas.

La mayoría de las personas, cuando oyen una alarma de fuego u otro sonido de advertencia de emergencia, van a la salida más cercana y luego se juntan en un lugar designado con anterioridad. Si las salidas están bloqueadas o tienen desorden, es posible que la salida sea dificultosa y hasta peligrosa. Por lo tanto, mantenga las salidas sin desorden para acceso fácil. Cuando ocurra el fuego, los segundos cuentan. Sepa donde están las salidas y como llegar a ellas con seguridad.

Se debe identificar a las salidas con letreros que se ven fácil-mente, y sin ningún otros rótulos u objetos cercanos que pueda distraerlo a uno. Si no puede ver la salida inmediata-mente, usted debería poder leer rótulos, muy visibles, que le dirijan hacia la salida. Puertas, pasillos, o escaleras que *no* son salidas, deberían estar identificadas con un rótulo que muestre "Not an Exit" (no es una salida) u otra designación similar.

Seguimiento a la emergencia

Después de una emergencia, debe notificarse a OSHA si el incidente resultó en muertes, o si tres o más personas fueron hospitalizadas. Si el derrame químico es significante, deben también notificarse al National Response Center (Centro Nacional de Reacción a Emergencias).

La actividad final que sigue a cualquier emergencia es repa-sarla y evaluar todos los aspectos de lo que pasó y lo que podría pasar como resultado de esto. Como se debe hacer un reporte acerca del incidente, éste tiene que ser preciso, auténtico y completo, y usted debe estar listo para cooperar.

Los eventos del incidente deberían ser escritos en orden cronológico, con cada inscripción debidamente firmada.

Trabaje con el propósito de trabajar con seguridad

Tome estas precauciones antes de una emergencia:

- Determine los peligros potenciales en cualquier situación de emergencia, antes de actuar,

- Mantenga el lugar de trabajo limpio y ordenado,

- Sepa donde encontrar los personeros de seguridad, y cómo usar el equipo de emergencia,

- Sepa la ubicación de los extintores de fuego,

- Sepa primeros auxilios, o donde encontrar provisiones (solamente dé primeros auxilios si usted está capacitado para hacerlo),

- Sepa la ubicación de las salidas y rutas de escape, y

- Familiarícese con el Programa de acción de emergencia de su compañía.

Empleado _____

Instructor _____

Fecha _____

Compañía _____

REPASO DE REACCIÓN A EMERGENCIAS

1. Si una emergencia ocurre, usted debería saber:
   a. Los procedimientos para escapar
   b. Cómo informar acerca de los procedimientos
   c. Deberes de rescate y médicos
   d. Todo lo de arriba

2. Se necesitan cuatro componentes básicos para que un incendio comience:
   a. Combustible, fuente de ignición, oxigeno, y reacción en cadena
   b. Combustible, humedad, oxigeno, y el proceso de combustión
   c. Objeto inflamable, calor extremo, oxígeno, y reacción en cadena
   d. Todo lo de arriba

3. Las materiales que se consideran, como combustibles potenciales incluyen:
   a. Madera
   b. Gasolina
   c. Químicos
   d. Todo lo de arriba

4. Las dos riesgos de incendios potenciales mayores son líquidos inflamables y combustibles y _____.
   a. Antorchas de soldar
   b. Herramientas de fuerza
   c. Aparatos para calentar
   d. Madera

5. Para apagar un incendio de equipo eléctrico, usted debería usar este tipo de extintor de incendios:
   a. Clase A
   b. Clase B
   c. Clase C
   d. Clase D

6. El método PASS (TAAM en español) de extintores significa:
   a. Tome, active, arranque, meta
   b. Tire, apunte apriete, mueva
   c. Apunte, altere, abra, mueva
   d. Tire, ajuste, active, monte

7. La periodo de operación de la mayoría de los extintores es:
   a. 8-10 segundos
   b. 20-30 segundos
   c. 40-60 segundos
   d. 1-2 minutos

8. La reacción de limpieza a los derrames de químicos o desperdicios peligrosos requiere entrenamiento en:
   a. Comunicación de peligros (siglas en inglés HazCom)
   b. Materiales peligrosos (siglas en inglés HazMat)
   c. Operaciones de desperdicios peligrosos y reacción a emergencias (siglas en inglés HAZWOPER)
   d. HazSafety

9. Si un incidente resulta en fatalidades o tres o más personas hospitalizadas, su empleador debe notificar a:
   a. La policía local
   b. El Centro de Nacional de Reacciones
   c. La Administración de Seguridad y Salud Ocupacional
   d. El Instituto Nacional para Seguridad y Salud Ocupacionales

10. Para una evacuación usted debería saber:
    a. Los sonidos del sistema de alarmas
    b. La salidas de emergencia
    c. Lugar de conteo
    d. Todos los de arriba

ERGONOMÍA Y SEGURIDAD DE LA ESPALDA:
TRABAJO QUE ACOMODA A LA GENTE

Su espina dorsal consiste de 24 vértebras, cada una separada de la otra por discos suaves que actúan como amortiguadores cuando se mueven las vértebras. Los músculos de su abdomen al igual que los músculos y ligamentos que van a lo largo de la columna vertebral, sostienen su espalda. Si su espina dorsal no está sostenida de forma apropiada por estos músculos, cualquier movimiento rotativo de la parte superior de su cuerpo o el levantar algo sin estar bien equilibrado, puede resultar en una lesión a la base de la espalda. Ya que la parte baja de su espalda (el área lumbar) carga la mayor parte de su cuerpo, es la primera área lesionada en su espalda.

Los males a la espalda son frecuentemente causados por:

- El levantar repetidamente;

- Movimientos súbitos;

- Vibración en todo el cuerpo;

- Levantando y girando simultáneamente;

- Estando agachado por periodos largos de tiempo;

- Mala condición física, estrés, y edad; y

- Mala postura.

A veces, los males a la espalda provienen de haber levantado cosas pesados o incómodas una sola vez. Sin embargo, muchas lesiones no resultan de un solo levantamiento, pero de tensiones relativamente menores que ocurren a lo largo del tiempo. Cuando usted repite un movimiento irritante particular, pequeñas lesiones comienzan a acumularse y a debilitar los músculos o ligamentos afectados. Eventualmente, lo que puede ocurrir es una lesión más grave.

Otros males del sistema músculo esquelético (MSDs en inglés)

Una MSD es una lesión/mal de los músculos, tendones, coyunturas, discos de la espina dorsal, nervios, ligamentos, o cartílagos. La mayoría ocurren de desgaste continuo. No incluyen lesiones causadas por resbalones, tropezones, o caídas. Generalmente, los MSD's en trabajadores de construcción afectan las manos, muñecas, hombros, cuello, espalda superior e inferior, y las caderas y rodillas. Diferentes tipos de MSD's se asocian a menudo con diferentes tipos de trabajo de construcción. Algunas de las MSD's más comunes incluyen:

- **Torceduras** — Lesión o rasgadura a un ligamento. Los ligamentos juntan un hueso a otro o sostienen a los órganos.

- **Tensión** — Lesión a los músculos que han sido extendidos o usados excesivamente. Los síntomas incluyen irritación, dolor, e incomodidad del músculo.

- **Disco degenerado** — Lesión a los cojines gelatinosos entre los huecos de la espina dorsal. Cojines gelatina liberada presiona al nervio. Los síntomas incluyen entumecimiento, dolor o debilidad, generalmente en las piernas y caderas y a veces en los brazos y en la parte de arriba de la espalda.

- **Tendinitis** — Inflamación y dolor en los tendones causados por el movimiento repetido de una coyuntura. Son más comunes en las muñecas, la parte hacia la palma de cualquier dedo, los pulgares, y los codos. Los síntomas incluyen dolor ardiente o dolor vago, hinchazón o aumento de tamaño y movimientos, donde los dedos saltan. Los trabajadores afectados incluyen personas que instalan techos, trabajadores de láminas metálicas, albañiles, trabajadores en hierro, trabajadores en varillas para construcción, y trabajadores que usan pistolas de grapas, destornilladores, o herramientas demasiado grandes o demasiado pequeñas para el tamaño de la mano.

- **Síndrome de Raynaud** — Lesión a los nervios y vaso sanguíneos en las manos, causada por el uso de herramientas vibrantes de mano como herramientas de fuerza, cortadores de fuerza de metal, ruedas de amolar, cierras circulares y de cadena, pistolas de pasadores, llaves de torsión, perforadores neumáticos, herramientas de impacto, y otras. Los síntomas incluyen adormecimiento y debilidad en las manos y dedos, blanqueamiento de los dedos, manos, y a veces desde el antebrazo al codo después de exposición a vibración o frío.

- **Síndrome del túnel carpiano** — Es una enfermedad de los nervios y muñeca causada por el doblez repetido de la muñeca, el agarrar apretadamente las herramientas y el oprimir la muñeca constantemente contra un objeto duro. Los síntomas incluyen adormecimiento, cosquilleo, quemazón y dolor. En casos graves puede haber debilidad en la base del pulgar; una palma seca y brillante, y torpeza de la mano. Los trabajadores afectados incluyen carpinteros, electricistas, y trabajadores de lámina de metal.

- **Síndrome de la salida torácica** — Flujo reducido de la sangre en el hombro y brazo causado por trabajo encima, y la carga de artículos pesados con las manos y brazos verticalmente hacia abajo. Los trabajadores afectados incluyen erectores de andamios, aisladores y pintores.

- **Rodilla de instaladores de alfombras** — Uso repetido de los impulsores de rodilla cuando se instala alfombras. Los síntomas incluyen dolor a la rodilla y torcedura. Los trabajadores afectados incluyen instaladores de pisos, instaladores de baldosas, instaladores de techos, electricistas, trabajadores en láminas metálicas, carpinteros, y aisladores.

Factores de riesgos de ergonomía

Los males Músculo-esqueléticos se desarrollan como resultado de exposición repetida a factores de riesgo ergonómicos incluyendo:

- **Fuerza** — El esfuerzo físico necesario para la tarea. Ejemplos incluyen el levantar y empujar.

- **Repetición** — Haciendo series de movimientos vez tras vez. Ejemplos incluyen atornillar óclavar.

- **Posiciones incómodas** — Posiciones del cuerpo que requieren actividad muscular para sostener. Ejemplos incluyen trabajo sobre la cabeza, girando, y acuclillándose.

- **Posiciones estáticas** — Esfuerzo físico para sostener una posición a lo largo de una tarea. Ejemplos incluyen agarrando herramientas, sosteniendo los brazos hacia afuera o hacia arriba, y estándoseparado prolongadamente.

- **Vibración** — Movimiento que sacude el cuerpo. Ejemplos incluyen el uso de perforadoras eléctricas o planeador de madera, manejo de un camión, y operando una perforadora neumática.

- **Tensión de contacto** — Contacto ocasional repetido o continuo entre tejido corporal sensible (generalmente los dedos, palmas de las manos, antebrazos, muslos, espinilla, y pies) y objetos duros o agudos. Ejemplos incluyen la presión que se aplica a mangos de herramientas, martilleo, y sentándose sin tener espacio para las rodillas.

- **Temperaturas frías** — Exposición extensa a frío mientras se esté trabajando. Esto reduce la destreza y la sensibilidad de las manos. Ejemplos incluyen el agarrar herramientas frías.

Si una tarea dada incluye varios de estos factores de riesgo, es más posible que resulte en el comienzo de un mal al músculo-esqueleto. La meta entonces es eliminar, o reducir por lo menos una parte, o todos los factores de riesgo en su lugar de trabajo.

Prevención de los males o molestias a la espalda y otros MSDs

Si su compañía descubre factores de riesgo posibles a ergonomía, en su lugar de trabajo, tiene varias maneras de eliminarlos o reducirlos.

Controles de ingeniería

La mejor manera de rectificar problemas de ergonomía es implementando controles de energía para que el trabajo se ajuste a usted, y no lo exija a usted a ajustarse al trabajo. Estos controles incluyen diseñar o volver a diseñar áreas de trabajo, herramientas, o equipo para que se amolde a usted y esto podría incluir:

- Ajustando la altura de la superficie de trabajo;

- Haciendo más accesibles a las áreas de trabajo, tales como bajando el trabajo de mucho más arriba, o levantándole a usted hacia el trabajo usando una plataforma, andamios, u otras medidas;

- Cambiando el arreglo del área de trabajo, tal como el movimiento de espejos y asientos en el vehículo para evitar posiciones incómodas;

- Suministrando descansos para los pies;

- Reduciendo el tamaño y pesos de objetos de levantarse, tales como dividiendo cargas grandes en más pequeñas, y reduciendo su peso;

- Instalando ayuda mecánica tal como usando herramientas para alcanzar objetos que estén lejos;

- Poniendo cojines en superficies duras o agudas, tales como la superficies de herramientas, materiales, y asientos;

- Suministrando carritos; y

- Diseñando para mujeres.

Controles administrativos

Los controles administrativos incluyen reduciendo la duración, frecuencia, y severidad de la exposición a los riesgos en los lugares de trabajo. Estos incluyen:

- Rotación de la tarea,

- Acortando el turno de trabajo,

- Limitando el sobretiempo,

- Añadiendo descansos más frecuentes,

- Alternando tareas repetitivas con tareas menos repetitivas,

- Reduciendo las tazas de producción, y

- Incrementando el número de trabajadores asignados a cierta tarea.

Controles de práctica de trabajo

Hasta con controles buenos de ingeniería y administración en sitio, es importante que usted siga prácticas de trabajo buenas, tales como el mantenimiento de la postura apropiada, usando técnicas buenas para levantar y hacer otras cosas, alimentándose con una dieta bien equilibrada, haciendo ejercicios para volverse más fuerte y entendiendo las limitaciones de los dispositivos de sostén.

Postura apropiada

Ponga la menor tensión o estrés en sus músculos y huesos, use estas técnicas apropiadas para la postura:

- **Estando parado** — Retraiga su mentón y relaje sus hombros. Mantenga los pies por lo menos a 12 pulgadas de distancia. Párese con un pie en un banquillo pequeño y cambie pies. Camine un poco cuando sea posible.

- **Estando sentado** — Mantenga su cabeza verticalmente sobre sus hombros, relaje sus hombros. Asegúrese que el respaldo de la silla sostenga la parte más baja de la espalda. Mantenga sus rodillas al mismo nivel que sus ca-deras o ligeramente más bajas. Siéntese lo más cerca que pueda de su trabajo.

Levantando de forma apropiada

Muchas torceduras y lesiones a la parte más baja de su espalda se pueden evitar con estas técnicas básicas para levantar bien:

1. **Forme una idea de lo que va a cargar antes de tratar de levantarlo.** Pruebe el peso levantando una de las esquinas. Consiga ayuda o un aparato si lo que va a levantar es demasiado pesado.

2. **Asegúrese que la carga puede llevarse a su destino** antes de tratar de levantarla. Asegúrese que el camino esté abierto y seguro.

3. **Doble sus rodillas.** Aparte sus pies y acérquese al objeto. Céntrese sobre la carga, luego doble sus rodillas y agárrela bien. Levante directamente hacia arriba sin movimientos súbitos. No doble su cintura. Permita que sus piernas hagan el trabajo.

4. **No gire o dé vuelta a su cuerpo** una vez que ha levantado la carga. Si tiene que dar vuelta a su cuerpo, hágalo así, cambiando la posición de los pies. Mantenga su carga firme y cerca a su cuerpo. No lleve la carga encima de su cabeza o a su lado.

5. **Asiente la carga de manera apropiada.** Doble las rodillas manteniendo su espalda recta, dejando que sus piernas hagan la mayoría del trabajo. No suelte la carga hasta que esté en el piso.

6. **Siempre empuje un objeto, en vez de tirarlo.** Al empujar pone menos tensión en la espalda y es más seguro en caso de que el objeto se desplome.

Técnicas apropiadas

Para prevenir que los MSD's afecten su cuello, brazos, muñeca, y manos, trate estas técnicas:

- Use almohadillas para las rodillas o muelles cuando trabaje arrodillado;

- Agarre con toda la mano en vez de agarrar con los dedos; y

- Mantenga las herramientas y equipo, por ejemplo, afile las hojas.

Dieta apropiada

Una dieta apropiada puede prevenir lesiones:

- Beba 8 vasos de agua por día para reducir lesiones causadas por desgarres y evitar rigidez.

- Coma una dieta bien equilibrada para tener energía. Las lesiones ocurren cuando usted está cansado mental y físicamente.

- Si tiene dolor, reduzca el uso de cafeína. Cafeína incrementa la sensibilidad de los músculos al dolor.

Ejercicio para incrementar fuerza

Estirando su espalda la hace más fuerte, más flexible, y más resis-tente a lesiones. Trabaje con los músculos de su espalda, muslos, nalgas, y tendón de la corva. Doble y estire estos músculos, sosteniéndolos así por lo menos 15 segundos, sin dar bote.

Entrenamiento

Su compañía debería proporcionar entrenamiento en la seguridad de la espalda y ergonomía. Usted debe aprender:

- Acerca de los riesgos ergonómicos de su trabajo;

- Las maneras de auto protegerse incluyendo el uso apropiado de equipo, herramientas, y controles de máquinas, al igual que la manera correcta de hacer una variedad de tareas de trabajo (esto incluye lecciones en postura y manera apropiada de levantar);

- A reconocer cuando tenga signos y síntomas de MSDs;

- La manera de reportar los signos y síntomas de MSDs para que los problemas puedan ser identificados a un principio, cuando es más probable que el tratamiento sea exitoso; y

- Los controles de ingeniería y administrativos que la compañía ha implementado.

Trabaje con el propósito de trabajar con seguridad

Siguiendo principios de ergonomía simples ayuda a reducir el riesgo de lesiones a su sistema músculo esquelético. Si ha tenido alguna vez dolor a la espalda usted sabe cuán importante esto es. Si no ha sufrido de dolor a la espalda u otros males músculo esqueléticos, siguiendo estos principios asegurará que nunca los tendrá.

NOTES

ERGONOMÍA Y SEGURIDAD DE LA ESPALDA

Empleado _____

Instructor _____

Fecha _____

Compañía _____

REPASO DE ERGONOMÍA Y SEGURIDAD A LA ESPALDA

1. Trastornos al espalda son frecuentemente causados por:
   a. Levantar repetidamente
   b. Movimientos súbitos
   c. Condición física débil
   d. Todo lo de arriba

2. Trastornos músculo-esqueléticos que afectan los trabajadores de construcción:
   a. La cabeza
   b. Las rodillas
   c. El estómago
   d. Todo lo de arriba

3. Daño a los nervios y vasos sanguíneos causados por el uso de herramientas vibratorias, se conoce como:
   a. Tendinitis
   b. El dedo de gatillo
   c. El síndrome de Raynaud
   d. El síndrome del túnel carpiano

4. Daño al cojín amortiguador gelatinoso ente los huesos de la espina dorsal, se conoce como:
   a. Torcedura
   b. Disco degenerado
   c. Síndrome de la salida torácica
   d. Rodilla de asentador de alfombras

5. Desordenes músculo-esqueléticos se pueden desarrollar de:
   a. La vibración
   b. Las temperaturas frías
   c. Fuerza
   d. Todo lo de arriba

6. La mejor manera de arreglar problemas ergonómicos es realizar controles de ingeniería, que incluyen:
    a. Turnos acortados
    b. Manteniendo la postura apropiada
    c. Diseñando de nuevo las áreas de trabajo
    d. Todo lo de arriba

7. Para quitar el estrés de sus músculos y huesos, una buena práctica de trabajo es:
    a. Siéntese en un el pecho hundido
    b. Párese con sus pies juntos
    c. Baje la quijada y relaje los hombros
    d. Todo lo de arriba

8. Para evitar torceduras y lesiones a la espalda, el buen procedimiento de levantar es:
    a. Levante la carga inmediatamente
    b. Doble las rodillas
    c. Dóblese a la cintura
    d. Tire al objeto en vez de empujarlo

9. Una dieta apropiada que puede ayudar a prevenir trastornos musculo-esqueléticos incluye:
    a. Incrementar lo que bebe de cafeína
    b. Comer una dieta alta de carbohidratos
    c. Beber 8 vasos de agua diariamente
    d. Todo lo de arriba

10. Entendimiento de la ergonomía y seguridad a la espalda debería incluir:
    a. La habilidad a reconocer señales y síntomas de MSDs
    b. Conocimiento en cómo informar problemas
    c. Consciencia de peligros
    d. Todo lo de arriba

EXCAVACIONES: IMAGÍNESE

Trabajando dentro y al rededor de excavaciones es uno de los trabajos más peligrosos en la industria de construcción. Hay muchos riesgos que existen pero la mayoría puede ser catalogada dentro de tres categorías: líneas eléctricas, de agua y de gas subterráneas; riesgos de espacios limitados; y derrumbes.

Aunque excavaciones son los peligros que dan más miedo cuando se cava zanjas, existen otros peligros, potencialmente fatales, incluyendo asfixia por la falta de oxígeno en un espacio limitado y electrocuciones o explosiones cuando trabajadores se ponen en contacto con las instalaciones de agua, luz y gas subterráneos. Los derrumbes son a menudo el resultado de hábitos de trabajo peligrosos, cambios del tiempo que alteran la estabilidad de la tierra, vibraciones causadas por actividad de construcción, y movimiento del suelo cerca de los lugares de la excavación. ¡Usted siempre debe estar alerta a estas condiciones cambiantes!

Ejemplos de excavaciones

Una excavación es cualquier corte, cavidad, zanja, o depresión hecha por el hombre en la superficie de la tierra donde se ha sacado tierra. Esto puede incluir excavaciones, como por ejemplo, la instalación de una línea de desagües, a carreteras ínter-estatales de muchos carriles.

OSHA dice

Las regulaciones específicas para trabajo de excavación, como lo requiere OSHA, se encuentran en 29 CFR 1926.650, 1926.651, y 1926.652. Estas regulaciones permiten el use de criterio de rendimiento y provee a los trabajadores de construcción con opciones cuando clasifican la tierra y los métodos para seleccionar protección de los empleados.

Lo que debe saber

Cuando se trabaja en zanjas y excavaciones, los peligros que causan la mayoría de las lesiones son:

* La falta de un sistema protector

* Falla de inspeccionar los la zanja y los sistemas de protección

* Colocación insegura de postes de protección

* Salidas y entradas peligrosas

Antes de comenzar a cavar

Antes de comenzar a cavar, una "persona capaz" necesitará:

* Contactar a las compañías de servicios eléctricos, de agua, y de gas, y al dueño de la propiedad para asegurarse que se han encontrado todas las líneas subterráneas.

* Asegurar que las instalaciones subterráneas estén protegidas, sostenidas, o quitadas como fuera necesario, para proteger a los empleados.

* Remover o asegurar cualquier obstáculo de la superficie, como árboles, rocas, y aceras, que podrían crear un riesgo.

* Clasificar los depósitos de tierra y roca en el lugar. Se debe hacer por lo menos un análisis visual y un análisis manual.

La persona capacitada

La persona capacitada es un empleado de la compañía quien:

- Es entrenado y está capacitado para identificar peligros existentes y predecibles que sean insalubres, peligrosos, o presenten riesgos.

- Es la persona responsable por hacer el análisis de clasificación de la tierra.

- Tiene la autoridad para tomar medidas correctoras para eliminar cualquier riesgo.

- Puede ser la persona responsable por la coordinación y dirección de la reacción en caso de emergencia.

- Debe inspeccionar la excavación y áreas adyacentes por lo menos una vez por día para determinar que no hayan derrumbes posibles, fallas en el sistema y equipo de protección, atmósferas peligrosas, u otras condiciones peligrosas.

Clasificación de la tierra

Antes de que se pueda trabajar en una excavación, se debe determinar el tipo de tierra que exista. A la tierra se la debe clasificar como: roca estable, tipo A, B, o C. Es común encontrar una  combinación del tipo de tierra en un lugar de excavación. Se usa la clasificación de la tierra existente para determinar la necesidad de un sistema de protección.

Las definiciones de los diferentes tipos de tierra son:

Roca estable — Material mineral sólido natural que puede excavarse con lados verticales y que se mantendrá intacto cuando esté expuesto.

Tipo A — Ejemplos incluye arcilla, arcilla sedimentaria, arcilla de arena, tierra negra, y a veces tierra de negra de arcilla sedimentaria, y tierra negra de arcilla arenosa.

Tipo B — Ejemplos incluyen sedimento, tierra negra sedimentaria, tierra negra arenosa, y a veces tierra negra de arcilla sedimentaria, y tierra negra de arcilla arenosa.

Tipo C — Ejemplos incluyen algunas tierras granulares como grava, arena, tierra negra arenosa, tierra sumergida, y tierra desde la cual el agua se está filtrando, y roca sumergida que no es estable.

¿Por qué son importantes los sistemas protectores de sostén?

A usted se le debe proteger de derrumbes por medio de un sistema protector diseñado de acuerdo a los estándares de OSHA. Hay muchos factores que se incluyen en el diseño de un sistema protector incluyendo la clasificación de la tierra, la profundidad de la zanja, el contenido de agua en esa tierra, cambios provenientes de tiempo y clima, y otras operaciones en el lugar.

Los tipos de sistemas protectores incluyen:

* Inclinación de la tierra
  o azoteas a ambos
  lados de la
  excavación.

* Sosteniendo los lados
  de la excavación con
  tablas, vigas o defen-
  sas hidráulicas de
  aluminio.

* Poniendo una defensa
  entre el lado de la
  excavación y el área
  de trabajo.

Los supervisores pueden
escoger el diseño más práctico para el trabajo que está
haciéndose. Una vez que se ha escogido el sistema, el criterio requerido de rendimiento tiene que conformarse al criterio
requerido de rendimiento para ese sistema.

La regla de 4-pies y 5-pies

A veces las reglas pueden ser confusas y por cierto éste
puede ser el caso en excavaciones bajo la regla de 4-pies y
5-pies.

La regla de 4-pies se refiere a sus medidas de escape y dice
que se debe proporcionar medidas para salir si la excavación
tiene la profundidad de 4 pies o más. Esta ruta de escape
debe estar dentro de 25 pies de distancia de cada trabajador.

La regla de cinco 5-pies se refiere a las veces cuando no se
necesita un sistema protector y dice: dice que un Un sistema
protector no es necesario si la excavación tiene menos de
cinco 5 pies de profundidad (asumiéndose que una persona
competente determina que no hay indicación de un posible
derrumbe). Tampoco se necesita el sistema protector, si la
excavación es en un lugar con roca enteramente estable.

La reacción de emergencia durante una excavación

OSHA requiere equipo para rescate de emergencia cuando existe una atmósfera peligrosa o puede esperarse que este aire peligroso se desarrolle durante la excavación (véase el capítulo sobre espacios limitados para más información). Sin embargo, su compañía debería tener procedimientos para reacción de emergencia en sitio, y equipo de rescate listo, en caso de que cualquier accidente ocurriera. El procedimiento debería incluir:

- ¿Quién proporcionará rescate y ayuda inmediata en el lugar de trabajo?

- ¿Quién notificará a las autoridades y a los personeros de rescate?

- ¿Quién recibirá, aconsejará y dirigirá a los personeros de rescate?

- ¿Cuál equipo para reacción de emergencias estará disponible en el lugar de trabajo, dónde se lo mantendrá y quién estará entrenado a usarlo?

Si hay un accidente en un lugar de excavación, el tiempo que transcurrió desde cuando el accidente ocurrió y cuando llegaron los personeros de emergencia, es crítico. Cualquier ayuda que uno pueda dar a la víctima, sin arriesgarse, debería de llevarse a cabo de inmediato. Evite el uso de equipo pesado en un intento de rescate a una persona atrapada. Usted debe usar extrema precaución en esta situación.

Trabaje con el propósito de trabajar con seguridad

Las siguientes reglas de seguridad son las que uno debe de saber y practicar cuando esté trabajando en zanjas. Las excavaciones pueden ser mortales, pero no tienen que serlo. Siempre sea concienzudo.

- Sepa sus responsabilidades de trabajo. Haga preguntas.

- Siempre use el equipo de seguridad apropiado que se requiera.

- Sepa los procedimientos para reacción de emergencia de su compañía.

- En excavaciones de más de cuatro pies, y donde existen atmósferas peligrosas, o pudieran existir, asegúrese que la persona competente comprobó el aire antes de que se entre a la excavación.

- Mantenga materiales o equipo que podrían caer o rodar dentro de una excavación, por lo menos a una distancia de dos pies del filo de excavación.

- Use un chaleco de advertencia u otra ropa apta, marcada o hecha con material reflector, o de alta visibilidad cuando usted esté expuesto a tráfico de vehículos.

- Use barricadas de advertencia, señales mecánicas o manuales, o maderos para detener, para alertar a los operadores de equipo el sitio donde está el borde de la excavación.

- Asegúrese que tenga protección adecuada contra caída de rocas, tierra u otros materiales y equipo.

- No trabaje en excavaciones donde el agua se ha acumulado, o está acumulándose, a no ser que se haya tomado precauciones adecuadas.

- No cruce sobre una excavación a no ser que se haya proporcionado caminos de acceso. Se debe poner pretiles en cualquier puente a una altura de 6 o más pies, sobre el fondo de una excavación.

Empleado _____

Instructor _____

Fecha _____

Compañía _____

REPASO DE EXCAVACIONES

1. Los peligros que se confrontan mientras se trabaja adentro y al rededor de una excavación incluyen:
   a. Asfixia
   b. Electrocución
   c. Derrumbes
   d. Todo lo de arriba

2. Excavaciones son:
   a. Entradas 4 pies o más de profundidad solamente
   b. Instalaciones subterráneas
   c. Cualquier depresión hecha por el hombre en el suelo por medio de remover tierra u otro material
   d. Ninguna de las de arriba

3. Antes que comience una excavación, una persona capaz debería:
   a. Hablar con oficiales del estado
   b. Quitar o asegurar obstáculos de la superficie
   c. Clasificar los tipos de depósitos de tierra y piedras
   d. a y b

4. Una persona capaz es:
   a. Entrenada y capaz de identificar peligros
   b. Responsable por inspeccionar la excavación y áreas contiguas
   c. Autorizada para tomar medidas correctivas inmediatas
   d. Todo lo de arriba

5. Un ejemplo de la tierra Tipo A es:
   a. Arcilla
   b. Sedimento de marga
   c. Grava
   d. Todo lo de arriba

6. Los tipos de sistemas protectores que protegen contra derrumbes incluyen:
   a. Paredes del lado vertical
   b. Protecciones
   c. Refuerzos
   d. b y c

7. La regla de 4 pies significa:
   a. Se requiere un sistema protector a 4 pies
   b. Se debe proporcionar medidas para salir a 4 pies
   c. Una ruta de escape deber estar dentro de 4 pies de cada trabajador
   d. Todo de lo arriba

8. Si una excavación tiene la profundidad de 4 pies o más, una salida debe ser proporcionada dentro de _____ pies de cada trabajador.
   a. 15 pies
   b. 25 pies
   c. 40 pies
   d. 50 pies

9. OSHA requiere equipo de emergencia de rescate cuando:
   a. Hay una atmósfera sin peligro
   b. Se pudiera razonablemente esperar que se desarrolle una atmósfera peligrosa
   c. Las autoridades y personas personas de rescate están disponibles
   d. Todo lo de arriba

10. Mientras trabaja en excavaciones, usted debería saber que:
    a. Se tiene que comprobar el aire si las excavaciones son de menos de 4 pies
    b. Se debe mantener materiales y equipo por lo menos a 3 pulgadas del filo
    c. No puede haber trabajo más si hay una acumulación de agua a no ser que se haya tomado precauciones.
    d. Todo lo de arriba

PROTECCIÓN CONTRA CAÍDAS: LO BENEFICIOS SON ENTUSIASMANTES

Las caídas son la mayor causa de fatalidades en la industria de construcción y han resultado ante todo de lados sin protección, aberturas en las paredes, y huecos laterales, construcción impropio de andamiaje, barras salidas de acero y mal uso de escaleras portátiles.

Aunque su empresa tiene el deber de tener disponible equipo de protección contra caídas y entrenarle cuando fuera requerido, es su deber usar el equipo y entrenamiento que fue suministrado. Usted deber fijarse que se requiere a todos los trabajadores de construcción que trabajen en una superficies a seis pies o más de un nivel bajo, construyendo un filo saliente o trabajando de lugares de izar a tener protección contra caídas.

Sin embargo, hay un excepción contra proporcionar protección contra caídas si un empleador puede demostrar que la protección contra caídas no es posible o crea un peligro peor cuando se realizan trabajo en el filo, erección de concreto pre-ensamblado o construcción residencial. Hay también una excepción al requisito de altura si usted está haciendo erección de acero o trabajando desde un andamio.

Ejemplos de protección contra caídas

Se debe proteger de caídas a los trabajadores de construcción por medio del uso de barandas, redes de seguridad, sistemas de arrestar caídas personales y un sistema de líneas de advertencia.

¿Qué son estos sistemas?

- **Sistemas de barandas** significa las barreras construidas para prevenir que empleados se caigan a niveles inferiores.

- **Sistemas de redes de seguridad** significa redes que es extienden hacia afuera de la proyección de la superficie de trabajo, capaces de absorber la fuerza del impacto.

- **Sistema personal para arrestar caídas** significa un sistema que se usa para detener a un empleado en una caída de un nivel de trabajo. Consiste de un ancla, conectadores y una correa corporal, o arnés corporal que puede incluir un acollador, aparato para desacelerar, cordel salvavidas, o una combinación apropiada de éstos.

- **Sistema de barrera de advertencia** significa que se instala una barrera en el techo para advertir a empleados que se acercan a un lugar no protegido, la cual designa un área en el techo donde se trabaja sin el uso de barandas, correa corporal o sistemas de redes de seguridad para proteger a los empleados en el lugar.

OSHA dice

Las regulaciones para protección contra caídas se pueden encontrar por todo el capítulo 29 CFR 1926:

29 CFR 1926	Nombre
.450-.454	Andamios (véase el capítulo sobre andamios en este manual)
.500-.503	Protección contra caídas
.1050-.1060	Escaleras y escaleras de mano (véase el capítulo sobre escaleras y escaleras de mano en este manual)

Protección contra caídas

El estándar de protección contra caídas tiene tres elementos:

- Situaciones en su lugar de trabajo que requieran protección de y contra caídas y contra objetos que caen (1926.501).

- Diferentes tipos de equipo de protección contra caídas y sistemas que su empleador puede usar para darle protección (1926.502).

- Requerimientos de entrenamiento (1926.503).

Requerimientos en general

A su empresa se le requiere que:

- Suministre equipo y entrenamiento para protegerle a usted de caerse, desde un nivel de trabajo, sobre otro nivel, o a través de este nivel, el cual es de seis pies o más sobre los niveles inferiores, y a protegerlo contra objetos que caigan.

- Asegurar que cuando su área de trabajo sea elevada, que tenga la fuerza e integridad estructural necesaria para sostenerlo a usted y sus compañeros.

- Cinturones de cuerpo ya no se usan como equipo para evitar la caídas personales. Todavía se pueden usar como equipo de establecer posición. Actualmente sólo se pueden usar enganches de traba como equipo para prevenir las caídas personales.

Equipo y sistemas

Su empresa debe suministrar e instalar, antes de comenzar el trabajo, todo el equipo de protección necesario contra caídas y contra objetos que le caigan encima. Los tres métodos más comunes de dar protección contra caídas son, pasamanos, redes de seguridad, y sistemas personales de sostén que previenen caídas. A estos se los considera como los sistemas primordiales.

Pasamanos o barandas

Un pasamano o pretil es una barrera que se instala para evitar caídas a un nivel inferior. A los pasamanos se los puede usar para protegerle a usted de caídas donde hayan filos o bordes sin protección, durante trabajo de construcción en filos, a través de huecos que incluyen tragaluces, rampas, pasillos, u otros lugares donde se camina, dentro de excavaciones que no estén visibles por razones de crecimiento de matas u otras barreras visuales, y dentro o encima de equipo peligroso.

Algunos de los requerimientos de pasamanos son:

- La baranda superior debe estar a una altura de 39 a 45 pulgadas.

- Las barandas deben poder sostener sin fallar, una fuerza de 200 libras aplicada dentro de las 2 pulgadas superiores del borde y cualquier fuerza hacia afuera o hacia abajo en cualquier sitio a lo largo de la baranda superior. El filo superior no puede hundirse a menos de una altura de 39 pulgadas sobre el nivel del piso.

- Las rieles intermedias de una baranda o pasamanos tienen que soportar 150 libras de fuerza hacia adentro o hacia abajo.

- No se puede usar bandas de acero o plástico como la riel media o superior.

- Si se usan cables de acero como la riel superior, tiene que tener banderines y advertencias a intervalos de seis pies usándose un material de alta visibilidad.

- Soga de Manila, plástico, o sintética que se use para rieles superiores y del medio, tienen que ser inspeccionadas con frecuencia para determinar su fuerza.

- Cuando se usen pasamanos al rededor de huecos, debe protegerse los lados y bordes.

Redes de seguridad

Redes de seguridad se usan como protección en los lados sin protección, bordes y filos, para trabajo en puentes, arriba donde está poniéndose ladrillos, trabajo en techos, trabajo de concreto preformado, construcción residencial, y aberturas en paredes.

Algunos de los requerimientos para el uso de reglas de seguridad son:

- Instalar redes lo más cerca posible de donde usted esté trabajando pero nunca más lejos de 30 pies.

- Redes extendidas hacia afuera desde el borde de su área de trabajo:

Caída vertical desde su superficie de trabajo	Distancia mínima desde el borde de más afuera de su área de trabajo
Hasta 5 pies	8 pies
Más de 5 y hasta 10 pies	10 pies
Más de 10 pies	13 pies

- Antes de que se haya instalado su red de seguridad, ésta tiene que tener una prueba, donde algo caiga sobre ella, o certificación. También hay que hacer una prueba de dejar caer sobre la red, o certificarla cuandoquiera que sea llevada a otra parte, reparada, y cada seis meses si ha estado en un lugar por todo ese tiempo.

- Inspección de las redes por lo menos una vez por semana para verificar que no haya desgaste, avería u otra deterioración. Reemplazo de redes o componentes defectuosos antes de usarlos.

- Remoción de materiales, chatarra, equipo, y herramientas que pudieran haber caído sobre la red tan pronto posible y por lo menos antes del próximo turno de trabajo.

Equipo personal contra caídas (arneses de cuerpo)

El equipo personal contra caídas arresta su caída, pero no impide su caída, cuando esté trabajando al rededor de lados o filos sin protección, trabajo en el filo en áreas de grúas cuando se está cargando o descargando diferentes materiales, en el trabajo de reforzar formas de acero, instalación de ladrillos encima o debajo de la superficie, trabajo en techos con inclinación baja o extrema, trabajo de concreto preformado, construcciones residenciales, y aberturas en las paredes.

En caso de que se cayera, el equipo de protección contra caídas debe estar ataviado para limitar su caída: en una caída de no más de 6 pies, la distancia de deceleración no puede ser de más de 3,5 pies, y éste debe impedir que usted se ponga en contacto con el nivel inferior.

Algunos de los requisitos para equipo personal contra caídas son:

- Una cuerda de salvamento horizontal que debe ser di-señada, instalada, y usada bajo la supervisión de una persona capacitada.

- Cuerdas de salvamento verticales deben tener una fuerza mínima contra ruptura de 5,000 libras.

- Sólo se puede sujetar a un trabajador a una cuerda de salvamento vertical.

- Protección e inspección de su cuerda de salvamento para ver que no hayan cortes, o abrasiones antes y durante el trabajo.

- Cuerdas y correas (tejidas) que se usen en arneses de cuerpo, deben ser hechas de fibras sintéticas.

- Para un arnés de cuerpo completo, el punto de sujeción debe estar localizado en el centro de su espalda cerca de sus hombros o más arriba de su cabeza.

- Su empresa tiene que tener un plan de rescate y poder rescatarlo con rapidez o asegurarse que usted pueda auto-rescatarse.

- Inspección de su equipo contra caídas antes de cada uso, después de averías y otra deterioración. No use componentes defectuosos.

- No sujetar su equipo contra caídas personales a:

  ○ Anclajes que se usen para el sostén o suspensión de plataformas.

  ○ Pasamanos.

  ○ Grúas, exceptuando lo especificado en las reglas.

Otros sistemas de protección contra caídas

La regla de protección contra caídas cataloga otros
sistemas y equipo que su
empleador puede usar en
ciertas situaciones. Algunos
de estos son:

- **Sistema de monitoreo
  de seguridad** — Que
  sólo se usa cuando se está trabajando en techos de
  baja inclinación. Se lo debe usar con un sistema de
  cuerda de advertencia. La única excepción es que un
  sistema de monitoreo de seguridad puede usarse sólo
  cuando el techo tenga un ancho de 50 pies o menos, ya
  que la regla de OSHA determina el ancho.

- **Tapas** — Se requieren para huecos incluyendo
  tragaluces.

- **Cuerdas de advertencia** — Deben usarse con otro sistema de protección tales como pasamanos, redes de
  seguridad, equipo personal contra caídas, o procedimientos de monitoreo de seguridad.

- **Aparatos para posicionar** — Se usa en la superficie
  de trabajo de forma, o estructuras de acero de refuerzo
  y otras situaciones donde las manos tienen que estar
  libres para trabajar.

Protección contra objetos que caigan

Objetos que caen es uno de los peligros mayores al rededor
de lugares de construcción. Usted debería usar su casco o
sombrero duro donde quiera que haya la posibilidad de objetos que caigan desde ariba.

También proteger a sus compañeros por una o combinación
de los métodos siguientes:

- Tableros a lo largo del filo de una superficie encima
  donde se camina o se trabaje.

- Pasamanos que tengan abertura lo suficientemente
  pequeñas para prevenir el pasaje de objetos que potencialmente caigan.

- Métodos de almacenaje apropiados durante trabajo en ladrillos, en techos o trabajo relacionado.

- Toldos o barricadas.

Erección de acero

Las normas para la erección de acero de OSHA tienen requisitos para proteger a los trabajadores de caídas. Una vez que los trabajadores estén a 15 pies sobre un nivel inferior, deben usar equipo de protección adecuado contra caídas. Sin embargo, hay dos excepciones para esta regla: Las personas que hacen conexiones y trabajan en alturas entre 15 y 30 pies, y empleados trabajando en una zona de pisos controlada entre 15 y 30 pies, no necesitan equipo de protección contra caídas cuando se siguen las provisiones especiales en las regulaciones de OSHA.

Requerimientos de entrenamiento

Usted debe ser entrenado por una persona capacitado cualquier momento que usted pudiese estar expuesto a peligros de caídas. El entrenamiento incluye:

- Reconocimiento de los peligros de caída en su lugar de trabajo y como minimizarlos.

- Procedimientos correctos para la erección, mantenimiento, desmontaje, e inspección de equipo de protección contra caídas y los sistemas que van a usarse.

- Uso apropiado y operación de los sistemas de protección contra caídas.

- Su papel en el sistema de monitoreo de seguridad, si uno de estos se usa.

- Limitación en el uso de equipo mecánico cuando se esté trabajando en techos de poca ínclinación.

- Un entendimiento de las reglas de protección contra caídas de OSHA.

Su empresa debe:

- Volverlo a entrenar cuando usted no entienda algo, cuando se mude a un diferente lugar de trabajo, o cuando se haya introducido en equipo nuevo.

- Preparar una certificación escrita para su entrenamiento.

Trabaje con el propósito de trabajar con seguridad

Contrario a una creencia popular, es posible prevenir lesiones y muerte causadas por caídas. Nadie debería considerar los accidentes como parte del costo de tener un negocio. El componer y reparar a las personas es mucho más dificultoso que componer productos y equipo. Por lo tanto, use equipo de protección contra caídas correctamente, protéjalo de los riesgos en su lugar de trabajo, inspeccióneles antes de cada uso. Haciendo esto puede salvar la vida.

NOTES

Empleado _____

Instructor _____

Fecha _____

Compañía _____

REPASO DE PROTECCIÓN CONTRA CAÍDAS

1. Caídas en la industria de construcción son principalmente el resultado de:
   a. Lados protegidos, aberturas en la pared, y huecos laterales
   b. Construcción correcta de andamiaje
   c. Barras reforzadoras de acero con salientes
   d. El mal uso de escaleras portátiles ✓

2. La altura más baja que requiere protección contra caídas en superficies para trabajar-caminar es:
   a. 4 pies sobre el nivel inferior
   b. 6 pies sobre el nivel inferior ✓   Pg 93
   c. 10 pies sobre el nivel inferior
   d. 24 pies sobre el nivel inferior

3. La clase de equipo personal de arrestar caídas que no se debe usar es:
   a. Arnés corporal
   b. Cuerda salvavidas/acollador vertical
   c. Ganchos de la clase de trabar
   d. Correa corporal ✓

4. Los tres tipos más comunes de protección contra caídas son sistemas personales para arrestar caídas, redes de seguridad y_____.
   a. Barreras de línea de advertencia
   b. Sistemas de pasamanos ✓   Pg 93
   c. Barandas en escaleras
   d. Dispositivos de posicionar

5. Pasamanos o barandas se pueden usar para protegerle de caídas:
   a. A través de tragaluces
   b. Rampas de salida
   c. Dentro de excavaciones
   d. Todo lo de arriba ✓   Pg 93 94

6. Las redes de seguridad se pueden usar para protegerse de caídas mientras:
    a. Trabaja subterráneamente
    b. Trabaja sobre puentes ✓   Pg 94
    c. Trabaja en el filo externo con protección de pasamano
    d. Todo lo de arriba

7. Equipo personal de arrestar caídas debe ser arreglado para limitar su caída a no más de:
    a. 3 pies
    b. 6 pies ✓   Pg 95   Pg 97
    c. 10 pies
    d. 15 pies

8. Se puede usar un sistema de monitoreo de seguridad en:
    a. Techos de baja inclinación ✓   Pg 97
    b. Techos de alta inclinación
    c. Techos de menos de 100 pies de ancho
    d. a y c

9. A razón que de que objetos que caen son los mayores peligros en los lugares de construcción, usted debiera:
    a. Usar un casco ✓   Pg 97
    b. Instalar tableros de pies en los filos de superficies altas
    c. Usar métodos apropiados de almacenamiento
    d. Todo lo de arriba ✓

10. En erección de acero, se debe proteger a los trabajadores de caídas desde:
    a. 4 pies o más de un nivel inferior
    b. 10 pies o más de un nivel inferior
    c. 15 pies o más de un nivel inferior ✓   Pg 98
    d. 20 pies o más de un nivel inferior

PRIMEROS AUXILIOS Y PATÓGENOS PROVENIENTES DE LA SANGRE: PROTÉJASE CUANDO SUMINISTRE AUXILIO

Las emergencias pueden ocurrir en cualquier sitio en cualquier momento a cualquiera. Por esta razón, es importante tener a alguien que sabe lo que debe de hacerse en una emergencia. Primeros auxilios pueden ser tratamientos simples por lesiones menores, o cuidado inicial dado antes de que el personal de emergencia médica esté disponible.

Ejemplos de primeros auxilios

Cuando se necesite tratamiento para heridas menores, la persona herida puede a menudo tratarse sin ayuda o con sólo ayuda menor (por ejemplo aplicando una curita o quitando una astilla).

En algunos casos, se necesita tratamiento inicial antes que ayuda médica esté disponible (por ejemplo un infarto o insolación). Una persona que dé primeros auxilios es alguien entrenado a dar servicios médicos de emergencia iniciales.

OSHA dice

La regulación de OSHA para primeros auxilios se encuentra en 29 CFR 1926.50, Servicios Médicos y Primeros Auxilios. Su compañía tiene una obligación de suministrar equipo de pri-meros auxilios, entrenamiento, y personeros cuando no hay un hospital ni clínica lo suficientemente cerca para dar ayuda dentro de tres o cuatro minutos. La razón por esto es que lesiones que amenazan quitarle la vida, tales como el dejar de respirar y el sangrar severamente, pueden matar a uno dentro de este periodo de tiempo.

El administrador de primeros auxilios

Es importante tener a alguien que sepa que debe hacerse en una emergencia. Es también importante el saber lo que no deber hacerse. Cualquier persona capacitada debe saber su responsabilidad y limitaciones. En otras palabras, si uno no está capacitado a ayudar a alguien que está lesionado, uno debe conseguir a alguien que sepa qué hacer.

Los administradores de primeros auxilios son personas que ocupacionalmente están requeridos a ser entrenados en pri-meros auxilios a pesar de que no estén específicamente obligados por la ley a dar primeros auxilios y están protegi-dos bajos las leyes del "Buen Samaritano". Un administrador de primeros auxilios usa una cantidad limitada de equipo para determinar lo que le ha pasado a la víctima y proporcio-nar ayuda para mantener la vida mientras se espera la llegada de los servicios de emergencia.

Los "Buenos Samaritanos" incluyen todos aquellos que voluntariamente dan ayuda en una emergencia. La ayuda de un "Buen Samaritano" es la de dar ayuda tal como resucita-ción cardio-pulmonar (CPR en inglés), el poner una venda al rededor de la pierna o brazo de alguien para parar la sangre, o otro tipo de cuidado o tratamiento de emergencia.

Reacción de primeros auxilios

Si usted es la primera persona que llega donde está una persona lesionada o enferma, he aquí algunos de los puntos básicos de primeros auxilios inmediatos:

- **Llame por más ayuda** — Si no está solo, consiga que alguien vaya a buscar ayuda. Si usted está solo o no está capacitado a dar primeros auxilios, a veces la prioridad inmediata es dejar a la víctima, e ir a buscar ayuda.

- **Analice la situación** — Quite a la víctima del peligro sin po-nerse usted mismo en peligro.

- **No mueva a la víctima** — Hay la posibilidad de lesión al cuello o espina dorsal. Si es necesario mover la víctima en una situación que esté amenazando la vida de la víctima, hágalo con cuidado.

- **Busque signos de vida** — Comience "CPR" (resucitación cardio-pulmonar) si usted está entrenado a hacerlo. Envíe a alguien para que traiga el desfibrilador externo automático (AED en inglés).

- **Controle desangramiento fuerte aplicando presión** — No ponga un torniquete a no ser que la víctima esté en el peligro de desangrarse a muerte y usted haya sido entrenado para hacerlo.

- **Dé tratamiento para postración** — Los signos de postración incluyen frío, piel pálida, pulso leve rápido, nausea, respiración rápida, y debilidad. Para dar tratamiento a postración, mantenga a la víctima recostada, cúbrala lo suficientemente para mantener el calor corporal, no mueva a la víctima a no ser que sea absolutamente necesario, y consiga ayuda médica inmediatamente.

- **Dé tratamiento para quemaduras** — Para pequeñas quemaduras, empape la quemadura en agua fría suavemente o ponga agua fría sobre la quemadura. No dé tratamiento a quemaduras grandes con agua a no ser que fueran quemaduras químicas. Cubra la quemadura con una venda seca y estéril. Dé respiración artificial si fuera necesario. Busque atención médica. Algunos químicos no deben ser lavados con agua, deben ser neutralizados con otras medidas. Vea la etiqueta química.

- **Dé tratamiento a químicos en los ojos** — Rápidamente lave los ojos con mucho agua por al menos 15 minutos (para mejores resultados, hágalo así en una estación de lavado de ojos, una ducha de emergencia, o con una manguera). Trate de forzar a los ojos abiertos para poder lavar el químico. No ponga vendas en los ojos. Busque atención médica.

- **Estabilice las fracturas** — No mueva la víctima a no ser que es absolutamente necesario el hacerlo. Esto es especialmente importante si uno sospecha que la víctima tiene lesiones al cuello o a la espalda. Consiga atención médica.

Nota: Estos pasos no son un reemplazo para entrenamiento formal en primeros auxilios o "CPR".

Juegos de primeros auxilios

Su compañía debe suministrar equipo, impermeable y fácilmente accesible, de primeros auxilios. Se debe examinar el conjunto de primeros auxilios antes de irse al lugar de trabajo o por lo menos 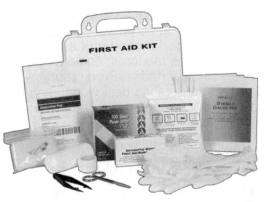 una vez por semana, para asegurar que se reemplace partes del juego después de que se los use.

La mayoría de los equipos contendrán artículos básicos para dar tratamiento rápido y fácil a un número de lesiones, Incluyendo:

Vendajes, gasa, y compresas

Esparadrapo

Tablillas de metal y aluminio

Torniquete

Ungüento para los ojos

Solución para lavado de ojos

Inhalador de amoniaco

Palillos antisépticos

Tratamiento para quemaduras

Tijeras

Pinzas

Guantes para examinar

Empaques fríos instantáneos

Cobija

Instrucciones en cómo dar primeros auxilios

Además, Los números telefónicos del médico de su compañía, hospital, y servicio de ambulancia deben estar fijados a plena vista. Su compañía debe proporcionar el transporte de una persona herida a un médico u hospital si no hay disponible servicio de ambulancias.

Reportaje de accidentes

Después de que se hayan arreglado las necesidades inmediatas de un accidente en su lugar de trabajo, lesión o enfermedad, debería reportar el evento a un supervisor o gerente. Lesiones menores, como un pequeño golpe, no necesitan ser reportadas. Pero reporte a su supervisor, gerente, u otra persona designada en su empresa, cualquier accidente, lesión o enfermedad en su lugar de trabajo que requiera:

• Tratamiento profesional,

• Ausencia necesaria del trabajo, o

• Un accidente grave que casi pasó.

Repórtelos aunque los síntomas de la lesión o enfermedad no se vuelvan aparentes de inmediato (ej., dolor a la espalda puede tomar algún tiempo para desarrollarse).

Averigüe si su empresa tiene procedimientos específicos y/o formularios para reportaje e investigación de accidentes; es algo común que hay en las empresas. Si tienen un formulario o política específica, úselos para reportar o investigar accidentes.

Patógenos provenientes de la sangre

Si usted suministra primeros auxilios, debe estar consciente de los riesgos asociados al dar ayuda en una emergencia médica. Uno de los riesgos es la exposición a enfermedades y infecciosas a través de la sangre u otros fluidos corporales. Estas enfermedades infecciosas incluyen el virus de Hepatitis B (HBV en inglés) y el virus de Inmunodeficiencia Humana (HIV en inglés). A estos también se les llama patógenos provenientes de la sangre.

El Estándar de Patógenos Provenientes de la Sangre (29 CFR 1910.1030) limita la "exposición ocupacional" a la sangre u otros fluidos corporales. Se anticipa la exposición ocupacional si hay contacto de la piel, ojos, o membranas de la nariz con sangre u otros líquidos corporales que pueden provenir del trabajo de uno.

Cuando trabajadores como los suministradores de primeros auxilios están expuestos ocupacionalmente a sangre u otro material infeccioso potencial, el estándar requiere que las compañías desarrollen un plan de control de exposición de exposición. Este plan explica cómo la compañía protege a los trabajadores de patógenos provenientes de la sangre. Si usted está expuesto ocupacionalmente, pídale a su supervisor una copia del plan del control de exposición (si hay uno), léalo, y esté seguro de entenderlo.

Nota: Aunque el Estándar de Patógenos Provenientes de la Sangre no aplica directamente a la industria de construcción, OSHA está aplicando la Cláusula de Derechos Generales del Acto de Salud y Seguridad Ocupacional cuando empleadores en el sitio de trabajo no proporcionan un medio ambiente de trabajo seguro con respecto a los patógenos provenientes de la sangre.

Controles de ingeniería

Los controles de ingeniería eliminan o minimizan los peligros de exposición del lugar donde provienen. Estos incluyen bolsas para resucitar e instalaciones para lavarse las manos.

Prácticas buenas de trabajo

Tome estos pasos para evitar infecciones:

*   Lávese las manos inmediatamente después de quitarse guantes u otro equipo de protección, y después de cualquier contacto de las manos con sangre o líquidos potencialmente infecciosos.

- No coma, tome, o aplique cosméticos, o maneje lentes de contacto en lugares donde hay el potencial para exposición.

- Evite rociar o salpicar sangre u otros líquidos corporales; y

- Asuma que toda la sangre humana o líquidos corporales humanos son infecciosos. Muchas personas que llevan enfermedades infecciosas no tiene síntomas y pueden no estar conscientes de que hay un problema. Este método de control de infección se llama "precaución universal."

Equipo de protección personal

Equipo de protección personal (PPE en inglés) es la última defensa contra cualquier riesgo inesperado. Esta ropa y equipo especializados, suministrados por su compañía sin costo, pueden incluir guantes de un solo uso, protectores para la cara o máscaras, protección de los ojos, y aparatos plásticos para dar respiración de boca a boca sin tocar los labios. El usar el PPE puede reducir grandemente el potencial de exposición a patógenos provenientes de la sangre.

Vacuna para Hepatitis B

El riesgo más grande proveniente de la sangre es infección por HBV. Su compañía debe hacer disponible vacuna contra hepatitis B para usted si tiene un riesgo de exposición ocupacional. Si no desea que le vacunen, usted tiene que firmar un formulario rehusando hacerlo. Si cambia de idea más tarde, todavía deben de proporcionarle la vacuna entonces.

Si está expuesto

Si usted está expuesto a sangre u otros líquidos corporales, reporte la exposición a su compañía de manera que puedan evaluar las circunstancias del incidente y para hacer trámites para un tratamiento inmediato confidencial. Se documentará cómo ocurrió la exposición. Su sangre será examinada, con su consentimiento, y se examinará también al individuo de donde originaron estos líquidos, si es posible. Se evaluará cualquier enfermedad reportada y se proporcionará un consejero.

Usted debería tomar los siguientes pasos para reducir la posibilidad de exposición:

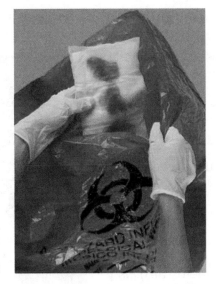

- Limpie y descontamine las áreas de equipo y trabajo tan pronto sea posible después del contacto con cualquier sangre o fluidos potencialmente infecciosos;

- Quite y reemplace cubiertas protectoras cuando éstas estén contaminadas o al fin de cada turno si hay una posibilidad de que contaminación ocurrió durante el turno; y

- Manipule la ropa contaminada lo menos posible. Debe po-nerse la ropa en una bolsa en el lugar donde ocurrió la contaminación. A la ropa mojada se la debe poner en bolsas impermeables. Use guantes si maneja la ropa contaminada.

Trabajando con el propósito de trabajar con seguridad

En situaciones de emergencia, los primeros auxilios que se den con rapidez y apropiadamente significan la diferencia entre vida y muerte, recuperación rápida y extendida, e inhabilidad temporaria en vez de permanente. Sepa donde están las estaciones de primeros auxilios y lavado de emergencia, antes de que ocurra un incidente. También entienda y siga las precauciones universales cuanto esté tratando con sangre.

Empleado _____

Instructor _____

Fecha _____

Compañía _____

REPASO DE PRIMEROS AUXILIOS Y PATÓGENOS PROVENIENTES DE LA SANGRE

1. Se le requiere a su compañía proporcionar entrenamiento y personal del equipo de primeros auxilios cuando un hospital o clínica no esté dentro de:
   a. 10 minutos
   b. 15 minutos
   c. 3-4 minutos
   d. 5-6 minutos

2. Un suministrador de primeros auxilios es:
   a. Ocupacionalmente requerido a entrenarse en primeros auxilios
   b. Obligado por la ley a llevar a cabo primeros auxilios
   c. No protegido por las leyes del "Samaritano Bueno"
   d. Todo lo de arriba

3. Un "Buen Samaritano" pudiera llevar a cabo:
   a. Resucitación cardio-pulmonar
   b. Ayuda voluntaria en una emergencia
   c. Primeros auxilios
   d. Todo lo de arriba

4. Si usted es la primera persona que llega donde está una persona herida, debería:
   a. Llamar para obtener ayuda
   b. Analizar la situación
   c. Buscar si hay señales de vida
   d. Todo lo de arriba

5. Cuando esté tratando ojos que se han expuesto a un químico, uno debe rápidamente lavar los ojos con mucho agua por lo menos por:
   a. 5 minutos
   b. 10 minutos
   c. 15 minutos
   d. 20 minutos

6. Los juegos de primeros auxilios que van al lugar de trabajo deberían tener:
   a. Herramientas de mano
   b. Una solución para el lavado de ojos
   c. Guantes de trabajo
   d. Teléfonos celulares

7. Después de las necesidades inmediatas de un accidente en el trabajo, usted debería:
   a. Reportar el evento al gerente de construcción
   b. Hablar con los compañeros
   c. Irse a la casa
   d. Seguir trabajando

8. Los riesgos asociados con dar ayuda en una emergencia médica incluyen:
   a. Patógenos de la sangre
   b. El virus de inmunodeficiencia humano
   c. El virus de hepatitis B
   d. Todo lo de arriba

9. Para prevenir una infección, usted debería:
   a. Asumir que todos los fluidos humanos son infecciosos
   b. Comer y beber en lugares de exposición potencial
   c. Secar sus manos después de contacto con la sangre
   d. Todo lo de arriba

10. Si está expuesto a sangre u otros fluidos humanos, usted debería:
    a. No tomar en cuenta la exposición
    b. Hacer que examinen su sangre
    c. Contaminar equipo
    d. Todo lo de arriba

COMUNICACIÓN DE PELIGRO: EL DERECHO A SABER LA LEY

Trabajar con químicos peligrosos es una experiencia cotidiana para muchos trabajadores en construcción. A menudo, los químicos que se usan en el lugar de trabajo pueden que no sean más peligrosos que los que usa en casa. Pero en el entorno del trabajo, es probable que la exposición sea a mayores concentraciones y por un tiempo más largo. Por eso, el peligro potencial es mayor en el trabajo.

Ejemplos de químicos peligrosos

A veces gente piensan que "químicos" son solamente líquidos en receptáculos. El estándar de comunicación de peligros cubre químicos en todas formas físicas --- líquidos, sólidos, gases, vapores, humos y rocíos, estén éstos contenidos o no. La naturaleza peligrosa de los químicos y el potencial de exposición, son factores que determinan si el químico está cubierto. Si no es peligroso, no está cubierto. Si no hay el potencial para exposición (por ejemplo, químicos que están inextricablemente juntos y unidos y no se pueden liberar), la regla de comunicación de peligros no cubren este químico.

OSHA dice

OSHA ha implementado un Estándar de Comunicación de Riesgos para ayudar a controlar la exposición en el trabajo. La regulación a la cual se le conoce comúnmente como "HazCom" en inglés, o "La ley del derecho a conocer" se la encuentra en 29 CFR 1926.59.

La regla HazCom dice que uno tiene el derecho a conocer los químicos a los cuales uno está o podría estar expuesto. Es importante que uno esté consciente del estándar y cómo éste le protege. El estándar requiere que todos los químicos en el sitio de trabajo sean evaluados por posibles riesgos físicos y a la salud. Y, ordena que toda la información relacionándose a estos riesgos se le haga disponible a uno.

Las áreas cubiertas específicamente por el estándar incluyen:

- Determinando los riesgos de los químicos,
- Las hojas de datos de seguridad de materiales (MSDSs en ingles),
- Etiquetas y rotulación,
- Un programa escrito de comunicación de riesgos,
- Información y entrenamiento del empleado, y
- Secretos comerciales.

El estándar de comunicación de riesgos tiene el propósito de cubrir a todos los empleados que han sido expuestos a químicos peligrosos bajo condiciones normales de trabajo o donde emergencias químicas pudieran ocurrir. Como se mencionó anteriormente, el estándar aplica a esos químicos que posan un riesgo ya sea físico o a la salud.

Riesgos físicos y a la salud

Los riesgos físicos que tienen ciertos químicos son debidos a sus propiedades físicas; inflamabilidad, reactividad, etc. Estos químicos se clasifican como:

- Líquidos o sólidos inflamables.
- Líquidos combustibles.
- Gases comprimidos.
- Explosivos.
- Peróxidos orgánicos.
- Oxidantes.
- Materiales pirofóricos
- Materiales inestables.
- Materiales reactivos al agua.

Un *riesgo físico* de un químico es alguna característica del químico que pueda causar efectos ya sean agudos o crónicos después de la exposición a él. Puede tener un efecto obvio tal como la muerte inmediata que sigue a la inhalación de cianuro, o un efecto de más largo plazo. Pero, en otras palabras, un riesgo a la salud puede no causar daño obvio inmediato o enfermarle a uno inmediatamente. En realidad, es posible que uno no pueda ver, oler, o sentir el peligro.

Un efecto a la salud agudo generalmente ocurre rápidamente, después de una exposición breve. Un efecto crónico a la salud dura largo tiempo, es continuo, y generalmente sigue a la exposición repetida a largo plazo.

Algunos ejemplos de químicos que exhiben riesgos a la salud son:

Tipo de químico	Ejemplo del tipo
Cancerígenos (causan cáncer)	Formol o bencina
Agentes tóxicos	Insecticidas para la yerba o jardín, compuestos de arsénico
Toxinas reproductoras	Talidomide u óxido nitroso
Irritantes	Blanqueadores o amoniaco
Corrosivos	Ácido de batería o sóda cáustica
Sensibilizadores	Creosota o resinas epoxídica
Agentes específicos a un órgano que actúan en órganos específicos o partes del cuerpo	Ácido sulfúrico (afecta la piel), o asbesto (afecta los pulmones)

El estándar de comunicación de riesgos no aplica a desechos peligrosos regulados por la Agencia de Protección al Medio Ambiente, productos de tabaco, muchas maderas o productos de madera, alimentos, cosméticos y ciertas drogas.

Hojas de datos de seguridad de materiales

Un hoja de datos de seguridad de materiales (MSDS en inglés) es una hoja de características para un químico que posa un peligro físico, o a la salud en su sitio de trabajo. Las MSDS's deben estar en inglés y contienen:

- La identidad del químico (como se usa en la etiqueta),

- Riesgos físicos,

- Peligros a la salud,

- Rutas primordiales de entrada,

- Si es o no un cancerígeno,

- Precauciones para su manejo y uso seguro,

- Procedimientos de emergencia de primeros auxilios,

- Fecha de preparación de la última revisión, y

- Nombre, dirección, y número telefónico del fabricante, importador u otra parte responsable.

Si hay información relevante de una de las categorías que no estuvo disponible en el tiempo de la preparación, la MSDS debe indicar que la información no se encontró. No es permisible el tener espacios en blanco. Si usted encuentra un espacio en blanco en una MSDS, póngase en contacto con su supervisor.

Su compañía debe tener una MSDS para cada químico peligroso que usa. Las copias deben estar fácilmente disponibles en su lugar de trabajo. Cuando usted viaja entre diferentes lugares de trabajo durante el día, debe saber que hay MSDS's guardadas en una ubicación central.

Si hay trabajadores de otras compañías en su lugar de trabajo, a ellos se les debe informar de los químicos que uno usa y la ubicación de las MSDSs. Ellos deben hacer lo mismo para usted. Todas las MSDS's pueden estar en una ubicación central y administradas por el contratista general.

Rótulos y rotulación

Los recipientes de químicos peligrosos deben tener rótulos en inglés. La información también puede aparecer en otros lenguajes para empleados que no hablan inglés, pero se requiere el inglés. Se requiere que los rótulos contengan la siguiente información:

• Identidad del químico peligroso.

• Advertencias apropiadas de peligro.

• Nombre y dirección del fabricante del químico, el importador, u otra parte responsable.

Para recipientes estacionarios individuales, uno puede usar letreros, pancartas, boletos de corretaje, o procedimientos de operación impresos, en vez de tener etiquetas.

Cuando se transfiere a un químico de un recipiente rotulado a un recipiente portátil, se requiere que el químico sea usado sólo por el empleado que ha hecho la transferencia durante su turno de trabajo, y no se le requiere a la empresa que rotule el recipiente portátil. Sin embargo, si se transfiere el recipiente a otro empleado, para usar en otro turno, debe estar rotulado.

Rotulación HMIS®

HMIS® son las siglas en inglés para el Sistema de Identificación de Materiales Peligrosos. Es un programa de rotulación completo que le ayuda a su empleador a cumplir con el estándar HazCom (comunicación de peligros) de OSHA.

El programa HMIS® usa un sistema numérico de clasificación de peligros (mientras más alto es el número, más peligrosa es la sustancia) para notificarle a usted y sus compañeros de los peligros químicos en el lugar de trabajo. La etiqueta o rótulo también indica el tipo de equipo de protección personal necesario para proporcionar protección adecuada de los materiales peligrosos que se encuentran en el trabajo.

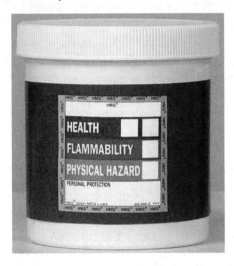

No se requiere a los empleadores el usar el sistema de rotulación HMIS®. Se puede usar cualquier sistema de rotulación, mientras que los trabajadores hayan sido entrenados a entender los peligros indicados en la etiqueta.

Los rótulos de HMIS® siempre aparecen como un bloque en forma de rectángulo con barras de color con clasificación de peligro desde cero hasta cuatro. Las primeras versiones de los rótulos HMIS® usaban una barra azul de "salud" en la parte de arriba, una roja para "inflamabilidad" debajo de ésta, seguido por una barra anaranjada de "reactividad" y un área blanca para el "PPE" (equipo de protección personal). Puede haber espacio adicional en el rótulo para otra información, tal como el nombre del producto, peligros suplementarios, información del fabricante, o información adicional HMIS®.

La rotulación todavía usa barras de color y clasificaciones numéricas de peligro, pero en vez de "reactividad" usa las advertencias de "peligros físicos" También hay un borde amarillo que bordea la información de riesgos.

Programas escritos de comunicación de riesgos

Se le requiere a su compañía desarrollar y hacer efectivo un programa escrito de comunicación de riesgos. Este programa detalla como su empresa cumplirá con los requerimientos del estándar para rótulos, MSDS's, al igual que información y entrenamiento para los empleados.

El programa escrito de su empresa necesita incluir:

- Una lista de químicos peligrosos presentados en su lugar de trabajo;

- Cómo se están cumpliendo con los requerimientos del MSDS;

- Qué tipo de sistema de rotulación se usa, si hay uno;

- Información detallada en el cumplimiento de entrenamiento;

- Métodos que se usan para informarle sobre los peligros en tareas no rutinarias y cosas tales como tuberías sin rótulos; y

- Métodos que se usan para informar a los empleadores de otros trabajadores en su lugar de trabajo tales como representantes de servicio y sub-contratistas.

Entrenamiento

A usted se le debe entrenar y capacitar cuando se incorpore en su trabajo inicial o tarea, al igual de cuando se introduzca un riesgo químico nuevo, en su lugar de trabajo.

Siguiendo el estándar de comunicación de riesgos, a usted se le debe informar de los requerimientos del estándar y cualquier operación en su área de trabajo donde hayan químicos peligrosos presentes. A usted también necesitan informarle de la ubicación y disponibilidad del programa escrito de comunicación de riesgos de su compañía, y más importantemente, la ubicación y disponibilidad del archivo donde están las MSDS's.

Adicionalmente, a usted le entrenarán en:

- Métodos y observaciones que se usan para detectar la presencia o liberación de químicos peligrosos en su lugar de trabajo;

- Riesgos físicos y a la salud de los químicos en su lugar de trabajo;

- Medidas que usted puede tomar para protegerse de los riesgos, incluyendo prácticas de trabajo y equipo de protección personal; y

- Detalles del programa de comunicación de riesgos de su empresa incluyendo información total sobre etiquetas y MSDS's.

Trabaje con el propósito de trabajar con seguridad

Como empleado, el entrenamiento es la clave para su éxito y seguridad en lo que tiene que verse con químicos peligrosos en su lugar de trabajo. Tómelo seriamente. Obtenga todo lo que pueda obtenerse. Aprenda acerca de los MSDS's, rotulación, el programa escrito de su compañía, medidas para auto protegerse y qué químicos peligrosos serán parte de su trabajo. Su buena salud puede depender en cuánto usted aprenda acerca del programa de entrenamiento de su compañía.

Empleado _____

Instructor _____

Fecha _____

Compañía _____

REPASO SOBRE COMUNICACIÓN DE RIESGOS

1. El Estándar de Comunicación de Riesgos de OSHA cubre esta forma de químico peligroso:
    a. Los líquidos
    b. Los sólidos
    c. Los gases
    d. Todo de lo arriba

2. Si los químicos peligrosos están en su área de trabajo, su empleador le debe dar la información en:
    a. Los peligros de los químicos
    b. La información de la competencia
    c. Los documentos de embarque/recibo
    d. Todo lo de arriba

3. Un ejemplo de un riesgo físico es:
    a. Carcinógeno
    b. Irritante
    c. Líquido combustible
    d. Sensibilizadores

4. Una hoja de datos de seguridad de materiales le dará información sobre:
    a. Manejo y uso seguro
    b. Procedimientos de emergencia
    c. Los riesgos físicos y de la salud
    d. Todo lo de arriba

5. Los contenedores de químicos peligrosos deben estar etiquetados en:
    a. Español
    b. Inglés
    c. Alemán
    d. El idioma de la cultura

6. Una etiqueta en un contenedor de químicos peligrosos le informará acerca de:
   a. Proceso de fabricación
   b. Advertencias de peligro
   c. Causas del cáncer
   d. Ninguno de los de arriba

7. El programa HMIS® La etiqueta usa un sistema _____ de indicación de peligros para notificarle de peligros físicos en el lugar de trabajo.
   a. Alfabético
   b. Icónico
   c. De palabras de señal
   d. Numérico

8. La barra coloreada en la etiqueta HMIS® III que indica un peligro para la salud que está en:
   a. Rojo
   b. Azul
   c. Blanco
   d. Anaranjado

9. El programa de comunicación de peligros de la compañía le informa de:
   a. Los beneficios
   b. Sistema de rotulación química
   c. Cubertura del seguro médico
   d. La compensación

10. A usted se le debe capacitar bajo el Estándar de Comunicación de peligros de OSHA:
    a. Durante su empleo inicial
    b. En su tarea inicial
    c. Cuandoquiera que se introduzca un nuevo peligro químico
    d. Todo lo de arriba

SALUD Y BIENESTAR: MANTENIÉDOSE BIEN FÍSICA Y MENTALMENTE

El dicho "la actitud es todo" denota la verdad. Una actitud positiva, y un estilo de vida saludable, hacen mucho en mantenerle enfocado de las cosas importantes, como el llegar a casa seguro todos los días de trabajo. Por eso es necesario revisar nuestro estilo de vida para ver si se pueden hacer mejoras.

Dieta

El primer lugar donde uno puede comenzar a mejorar su salud es con su dieta. Trate de comer una dieta balanceada. Al tener una variedad de alimentos, uno recibe los nutrientes necesarios y el número correcto de calorías para mantener un peso saludable.

Muchas personas están tratando de perder peso. Para hacer esto muchos de ellos han intentado modificar su dieta. Sin embargo, algunas dietas requieren que usted coma solamente ciertos tipos de comidas. Antes de ponerse en una de estas dietas restrictivas, hable con su médico para ver si es la dieta correcta para usted.

Vitaminas

Aunque uno coma de la manera correcta, es todavía necesario el tomar vitaminas y minerales especialmente si uno está en dieta o no está comiendo la cantidad suficiente de frutas y verduras. Además, las vitaminas y minerales pueden ayudar en la pelea contra los riesgos en el lugar de trabajo. Por ejemplo, las vitaminas B-6 y E pueden dirigirse a las deficiencias nutritivas que le ayudan a resistir dolencias como el síndrome del túnel carpiano y otras enfermedades. El mineral calcio, refuerza también sus huesos y ayuda evitar fracturas si uno se cae.

Consulte a su doctor si cree que puede necesitar vitaminas y minerales. Tomando demasiado causa problemas de toxicidad y envenena a su cuerpo. De manera que si usted toma vitaminas y minerales, siga las cantidades recomendadas (RDA en inglés) a no ser que su doctor le dé otra información.

Agua

Además de los alimentos, agua es la clave para salud y bienestar. Se la necesita para digerir los alimentos, depurar las toxinas fuera de su cuerpo y "rellenarlo" después de trabajo o ejercicio fuerte, especialmente en temperaturas extremas.

Normalmente, uno debe tomar por lo menos ocho vasos de 8 onzas de agua por día. Sin embargo, cuando uno trabaja en calor extremo se debería tomar cinco a siete onzas de agua cada 15 a 20 minutos. Mantenga en mente, que uno puede obtener agua de otras bebidas que no sean necesariamente agua y procedente de frutas y verduras.

Ejercicio y salud física

El ejercicio es otro ingrediente importante, necesario para la salud.

Según que el Departamento de Servicios de Salud y Humanos, 14 por ciento de todas las muertes en los EEUU pueden ser atribuidas a la falta de patrones de actividad y dieta, y 23 por ciento de las muertes de enfermedades crónicas mayores que se pueden atribuir a un estilo de vida sedentario.

Aunque muchos trabajos de construcción le dan mucho ejercicio otros, como la operación de una grúa u otro equipo pesado, mantienen a los trabajadores en la misma posición todo el día. El centro de Control de Enfermedades dice que todos adultos necesitan 2 horas y 30 minutos (150 minutos) de actividad aeróbica (por ejemplo, el caminar rápidamente) todas las semanas, y actividades que refuerzan los grupos mayores de músculos (como las piernas, cadera, espalda, abdomen, pecho, hombros y brazos) en dos o más días por semana. Caminar, montar en bicicleta, y hasta palear la nieve y lavar el carro se consideran ejercicio.

Si uno recibe suficiente actividad en el trabajo, se debe considerar ejercicio diseñado específicamente para una parte del cuerpo como su espalda o sus manos. El ejercicio vigorizará estas áreas para evitar lesiones como el túnel carpiano, dolor a la espalda y otras dolencias.

Como es con cualquier ejercicio, comience suavemente y añada lentamente a una frecuencia más alta y tiempo de duración del ejercicio. Consulte a su doctor si tiene cualquier problema de salud.

Descanso

El reto de tener que trabajar fatigado un turno completo es una batalla diaria todavía más frecuente. La fatiga es una condición de estar cansado física y mentalmente, o agotado. Agotamiento extremo puede llevar a un apagón involuntario y sin control del cerebro. Si uno trabaja con maquinaria, líquidos inflamables, explosivos, desechos peligrosos, químicos, electricidad, o en altura, u opera un montacargas u otro vehículo, los errores causados por fatiga pueden ser críticos.

Las causas de la fatiga incluyen:

Poco sueño	Calor	Alcohol excesiva
Cambios en los ritmos circadiano del cuerpo	Ruido	Mala nutrición
	Enfermedad	Insuficiente ejercicio
Trabajo nocturno	Exposición excesiva a químicos tóxicos	Aburrimiento
Esfuerzo extremo		
	Cafeína excesiva	

Esta son las maneras de cómo evitar fatiga:

- Obtener ocho horas de sueño antes de comenzar el trabajo.

- Dormirse a la misma hora cada día. Los rotaciones de turnos deben ser siguiendo el reloj (de día a tarde a noche).

- Tomar todos los descansos programados de trabajo.

- Aclimatarse a trabajar en el calor para evitar fatiga por excesivo calor. Beber muchos líquidos.

- Buscar los efectos a la salud catalogados en las etiquetas o las hojas de datos de seguridad de materiales para los químicos que una usa frecuentemente. ¿Es la fatiga uno de los efectos secundarios de esta exposición? Protegerse uno mismo usando el equipo protector.

- Cuando trate de dormir durante el día hágalo en un sitio fresco, obscuro y quieto. Usar tapones en las orejas, música suave, o un ventilador para bloquear el ruido externo.

- Ver al doctor acerca de trastornos de sueño y medica-mentos para enfermedades.

- Comer una dieta bien equilibrada. Evitar el comer dema-siado antes de acostarse.

- Evitar cafeína, alcohol, y cigarrillos.

- Ejercicio para mantener la resistencia.

Salud mental

Además de la buena salud física, uno debe considerar la salud mental y actitud. Salud mental deficiente puede dificul-tar la función del trabajo de día a día.

Estrés

Estrés es la reacción física o mental a presiones tales como eventos o factores de la vida en general. Aunque hablemos de estrés como algo negativo, éste puede ser positivo o negativo.

Biológicamente, cuando hay estrés el cuerpo libera hormo-nas que aceleran la respiración y la palpitación, incrementan el nivel de azúcar, y suben la presión de la sangre, y realzan la habilidad de la sangre a coagularse. El cuerpo de uno pasa a un modo de sobrevivencia y se alista para una emer-gencia física. Eso puede ser algo bueno. Uno tiene la energía y actividad mental para llegar a la conclusión del tra-bajo. Uno está alerta y rinde bien.

Mientras el estrés continúa, la temperatura del cuerpo se ajusta al estrés. Si se quita el estrés durante este periodo de ajuste, el cuerpo retorna a su estado normal. Sin embargo, si hay estrés por periodos prolongados de tiempo, el cuerpo deja de ajustarse y se desgasta, debilitando las defensas a enfermedades. El cuerpo no puede funcionar a velocidad alta permanentemente. Esto puede llevar a una "quemazón" per-sonal. Algún estrés añade reto, oportunidad, y variedad a la vida. Mucho estrés puede batallar con uno.

Médicamente, demasiado estrés puede causar incremento en la tensión arterial, dolor, dificultades en respiración, cáncer, trastornos digestivos, insomnio, y fatiga. Psicológicamente uno puede sufrir frustración, irritabilidad, cólera, impaciencia, preocupación, falta de confianza en uno mismo, el escuchar deficientemente, y abuso de alcohol o drogas. Para complicar esto, puede también afectar al trabajo. Estrés puede llevar a accidentes, pérdida de prioridades, apuro, esfuerzo por competir, y cólera o comportamiento inapropiado.

Prevención de estrés

Uno puede hacer frente al estrés en el lugar de trabajo estando alerta a los signos de su presencia. Vuélvase consciente de cuando se está bajo estrés. Encuentre las señales de cuando se está en una actitud de sobrevivencia. Una vez que uno está consciente de lo que lo tiene con estrés, uno puede manejar el estrés usando una o más de las técnicas para reducción de estrés:

- Descansar y aprender a relajarse completamente.

- Aflojar el estrés con ejercicio.

- Mantener el descanso y dieta apropiados de manera que uno pueda poner frente a situaciones de estrés.

- Practicar la respiración profunda para relajarse.

- Manejar bien el tiempo. Fijar prioridades para hacer lo más importante primero.

- Realzar la confianza en uno mismo.

- Compartir el trabajo si uno no puede hacerlo todo.

- Usar la risa para relajar la tensión.

- Evitar el tomar medicamentos o beber alcohol para eliminar temporáneamente el estrés. Estos no resolverán el problema.

- Compartir el estrés con otros. Hablar con un amigo.

Hostigamiento

Otra causa de tensión en el trabajo es el hostigamiento o acoso. La hostigamiento puede ser racial, sexual, relacionado a la edad, nacionalidad, religión, y de otros tipos. Desafortunadamente, las víctimas de acoso a menudo sufren falta de sueño, cambios de ánimo, estrés, y ansiedad. Si hay hostigamiento en el trabajo, uno debe de saber cómo se maneja a un compañero que lo practica:

- Dígale al hostigador/a que le disgusta su comportamiento y que él/ella debe suspenderlo,

- Reporte este comportamiento a un supervisor o gerente,

- Siga los procedimientos de la compañía para hacer frente al acoso, y

- Reporte cualquier incidente nuevo o de repetición y si el incidente vino del mismo hostigador o de otra persona nueva.

Si un compañero colérico u hostil le confronta, manténgase calmado, escuche y busque una oportunidad segura para escapar.

Dependencia en drogas y/o alcohol

¿Sabía usted que los trabajadores de construcción tienen una de las tazas más altas de uso de drogas ilícitas y alcohol comparándose con las de otras industrias? El deterioro del trabajador causado por substancias que afectan el ánimo no es nada nuevo. Por varias décadas el alcohol a encabezado la lista de drogas que pueden hacer impacto, de manera adversa, a la salud del empleado. Sin embargo, el uso de medicamentos comprados sin receta, al igual del abuso de drogas recetadas, posa un problema creciente en el lugar de trabajo.

La dependencia en drogas y alcohol puede cambiar la personalidad, reacción y juicio. Puede causar fricción y violencia entre empleados, daño a equipo, malas decisiones, absentismo, y lo peor de todo, accidentes. Por esta razón muchas compañías tienen una política sobre drogas y alcohol, entrenan a sus supervisores a buscar señales del uso de drogas y alcohol y comienzan programas de exámenes para drogas.

Programas de exámenes para drogas

Si su compañía elige establecer un programa de exámenes para drogas, el tipo de examen puede incluir:

- **Previo al contrato de empleo** — Examinar los solicitantes de empleo

- **Sensible a la seguridad** — Examinando trabajadores cuyos trabajos involucran la seguridad de otros trabajadores o el público (operadores de vehículos o de banderines),

- **Sospecha razonable** — Exámenes a personas quienes parecen estar bajo la influencia de drogas,

- **Después de un accidente** — Exámenes a personas que han tenido un accidente que podría haber sido causado por el uso de drogas,

- **Regreso al trabajo** — Exámenes físicos relacionados a exámenes cuando se vuelve al trabajo,

- **De seguimiento** — Exámenes que se hacen después de que ha habido tratamiento,

- **Al acaso** — Exámenes al acaso para identificar personas que usan drogas y desalentar el uso futuro, y

- **Universal** — Examinando a todos los trabajadores.

Si usted conoce a alguien que tenga un problema con drogas o alcohol …

Dígale a la persona que basándose en lo que ha visto, usted cree que algo está pasando y le preocupa. Anime a la persona a que obtenga ayuda. Algunas señales de uso y abuso de substancias son:

- **Señales físicas** — Torpeza insólita y enfermedades frecuentes.

- **Ánimo** — Muy contento un día y muy deprimido el día siguiente.

- **Absentismo** — Más de lo normal.

- **Acciones** — Reacción violenta cuando algo va mal.

- **Accidentes** — Más accidentes.

- **Relaciones** — Fácil irritación hacia otros. Prefiere estar solo en vez de tener interacción con otros.

Si usted piensa que tiene un problema de drogas o alcohol …

Este tipo de problema simplemente no desaparece, y por esta razón hable con un amigo o una persona querida. Visite a alguien del programa de ayuda confidencial de su compañía o llame a los teléfonos importantes de información: Alcohólicos Anónimos (212-870-3400); el Centro para Tratamiento de Abuso a Substancias (800-662-HELP); 1-800-COCAINE; o la Casa Nacional para Información de Alcohol y Drogas (800-676-1730).

Actitud Saludable

La salud y bienestar de uno está afectada no solamente por el lugar de trabajo sino por actitud. Practicando las siguientes maneras de pensar, le pueden mantener saludable y feliz.

Piense antes de actuar

Ya que el descuido y poca atención al trabajo pueden llevar al desastre, piénselo bien antes de actuar. ¿Qué es lo que va hacer, y cuales son las consecuencias? Repase los pasos para hacer su trabajo con seguridad, y use las herramientas apropiadas para el trabajo.

Muchas situaciones de trabajo no tienen pasos catalogados a seguirse. Lo único que se puede hacer es mantener una mente llena de seguridad, una que le prepara a usted para las nuevas tareas, nuevos riesgos y nuevas situaciones. Los accidentes a menudo ocurren cuando uno hace frente a un nuevo trabajo o cambia de trabajo. Cuando algo cambia en su lugar de trabajo, piense acerca de su seguridad. Si no está seguro de cómo proceder, haga preguntas. Además, si usted descubre un peligro, repórtelo.

Aunque sea un trabajador con experiencia que sabe su trabajo bien, usted todavía puede tener un accidente si toma por sentado los procedimientos. De tiempo en tiempo, estudie los procedimientos de seguridad. De esta manera siempre estarán presentes en su mente.

Evite pasar cosas por un lado

Imagínese que su sierra de mesa se ha atrancado con virutas o la hoja ha perdido algunos dientes. ¿Desconectaría usted la máquina de la fuente eléctrica y pondría una etiqueta que diga "No la enchufe" antes de tratar de limpiar las virutas o reemplazar la hoja? ¿Que pasa si está apurado y cree que se va a retrasar más?

No deje que este ahorro de pasos le tiente. Imagínese lo que pasaría si no rotuló el enchufe de la máquina y luego nada pasó. ¿Ahorrará estos pasos en el futuro? Cuando se pasan las cosas por un lado, hay que pensar que no es un caso de que "si" el accidente pasará, sino "cuándo" va a pasar.

Sea compañero, un miembro del equipo

El trabajo en equipo funciona mejor que una sola persona, porque el equipo junta la pericia de todos en una. Usted y sus compañeros pueden saber y compartir maneras más seguras de hacer las cosas. Le puede cuidar al otro y de esta manera evitar lesiones o enfermedades. Y si su equipo tiene éxito, usted se siente bien al saber que es parte de este éxito.

Siendo un miembro del equipo en su lugar de trabajo, significa que usted actúa como parte de este grupo. Adicionalmente, además de llevarse bien, el ser un miembro del equipo significa:

- Tomar responsabilidad y hacer su porción del trabajo,

- Motivar y escuchar a los otros,

- Cooperar y mantenerse flexible,

- Hacer el trabajo a tiempo,

- Actuar profesionalmente, y

- Respetar y comprender a los otros.

Trabajar con el propósito de trabajar con seguridad

La buena salud *puede* contribuir a reducir lesiones y enfermedades. Por lo tanto, no tome por sentado su salud, seguridad, y bienestar. Hágale su prioridad.

NOTES

Empleado _____

Instructor _____

Fecha _____

Compañía _____

REPASO DE SALUD Y BIENESTAR

1. Un_____ puede ayudarle a mantenerse enfocado en seguridad.
    a. Estilo de vida
    b. Actitud
    c. Trabajo
    d. a y b

2. Para mejorar su salud usted debería comer una dieta_____:
    a. De proteína alta
    b. De legumbres
    c. Balanceada
    d. De muchos carbohidratos

3. Las vitaminas que puede ayudar resistir el síndroma del túnel carpiano y otras enfermedades son:
    a. B-6 y E
    b. B-12 y A
    c. D y C
    d. Ninguna de las de arriba

4. Debe de beber por lo menos ocho vasos de _____ por dia:
    a. 4 onzas
    b. 8 onzas
    c. 12 onzas
    d. 16 onzas

5. La cantidad de actividad aeróbica de moderada intensidad que una persona debe tener semanalmente es:
    a. 150 minutos
    b. 200 minutos
    c. 250 minutos
    d. 300 minutos

6. Una causa de fatiga es:
   a. Relajamiento
   b. Uso excesivo de cafeína
   c. Por lo menos sueño de ocho horas
   d. El ejercicio para mantener el vigor

7. Usted puede administrar el estrés:
   a. Respirando profundamente
   b. Administrando bien el tiempo
   c. Haciendo ejercicio
   d. Todo lo de arriba

8. Para manejar bien a un compañero que le hostiga:
   a. Diga al compañero que pare
   b. Amenace al compañero
   c. Siga los procedimientos de la compañía
   d. a y c.

9. Una señal de abuso de alcohol o de drogas es:
   a. Humor consistente
   b. Incremento de accidentes
   c. Reducción de las enfermedades
   d. Todo lo de arriba

10. El ser un miembro del grupo significa:
    a. Sólo preocupándose de uno mismo
    b. Actuando profesionalmente
    c. Siendo inflexible y no cooperando
    d. Denigrando a los demás

EXPOSICIONES EN EL SITIO DE TRABAJO:
LA CONCIENCIA ES LA CLAVE

A pesar de su tasa alta de fatalidades, la construcción puede ser una ocupación segura cuando los trabajadores están conscientes de los peligros y usan seguridad efectiva y un programa de salud. Protegiéndose de lo dañino que usted pudiera respirar o comer sin quererlo (como el polvo de silicio) o absorberlo a través de su piel, puede ser dificultoso si usted no sabe que es dañino. Esto es lo que este capítulo tratará de hacer: darle consciencia de algunas de las exposiciones dañinas más comunes y la manera de combatirlas.

Riesgos de exposición en el sitio de trabajo

La exposición a substancias peligrosas puede causar enfermedades que pudieran aparecer a corto plazo, o a largo plazo. Estas enfermedades están categorizadas como agudas o crónicas y pueden, o no pueden, requerir hospitalización o cuidado médico. Un ejemplo de una enfermedad aguda es la pulmonía. Es una enfermedad respiratoria que puede ser causada por un número de irritantes que incluyen mohos y químicos; Sin embargo puede ser curada. Las enfermedades crónicas son más persistentes y aunque pueden ser tratadas, no se pueden curar. Ejemplos incluyen, dolencias a los riñones, cáncer de los pulmones, y artritis, las cuales pueden ser causadas por respiración prolongada o inhalación de substancias nocivas o, en el caso de artritis, el uso y desgaste del cartílago entre sus huesos.

OSHA dice

Las regulaciones de OSHA para exposición en el sitio de trabajo se encuentran por todo el capítulo 29 CFR 1926. He aquí unas de las más comunes:

29 CFR 1926	Nombre
.53	Radiación Ionizante
.54	Radiación no ionizante

29 CFR 1926	Nombre
.55	Gases, vapor, humo, polvo, y rocíos
.60	Metilenedianilina
.62	Plomo
.1101-.1152	Substancias tóxicas y peligrosas (incluyendo asbesto, cancerígenos, y cadmio)

Asbesto

El asbesto se encuentra en materiales de construcción tales como techos ripia, baldosas "plásticas", tuberías de cemento, filtros para techo, aislamiento, baldosas de cielo raso, paredes "drywall", y productos acústicos. Afortunadamente, hoy, se producen o se instalan pocos productos que contengan asbesto. Consecuentemente, la mayor exposición ocurrirá durante la remoción de asbesto y la renovación de estructuras que contengan asbesto.

Si no está bien protegido, su posibilidad de exponerse a asbesto es alta:

Efectos	Exposición
Aguda (de corto plazo)	Falta de respiración, dolor al pecho o abdomen, o irritación de la piel y membranas mucosas
Crónica (de largo plazo)	Dificultad en respiración, tos seca, ensanchamiento y espesor del extremo de los dedos, decoloración de la piel, asbestosis (una condición similar a enfisema), cáncer al pulmón y/o me-sotelioma (un tumor canceroso que se disemina en los pulmones y órganos del cuerpo).

Las fibras de asbesto entran al cuerpo por medio de inhalación o ingestión de partículas flotantes que se entremeten en los tejidos del sistema respiratorio y digestivo. Si ha ocurrido exposición, los síntomas de asbesto o amianto puede que no aparezcan por 20 o más años.

Desafortunadamente, no se necesita gran cantidad de asbesto para exceder el límite de exposición de OSHA. Imagínese que usted tiene una pizca de asbesto entre su pulgar e índice y la hecha al aire. Eso es suficiente para cumplir con el límite de exposición.

Medidas de protección

Hay varias maneras de controlar la exposición a asbesto:

Monitoreo: Su compañía debe determinar si hay presente una concentración de asbesto y si ésta excede el límite de exposición especificado por OSHA.

Controles de ingeniería: Si la exposición está más allá de los límites especificados por OSHA, su empresa intentará minimizar la exposición con controles de ingeniería tales como ventilación expulsora local y encerrando los procesos que generan asbesto.

Buenas costumbres en el trabajo: Si hay un riesgo de exposición de asbesto, considere:

- Use un respirador correcto, limpio, aprobado por NIOSH. Póngase y quítese el respirador fuera del área regulada de asbesto. Probándose que le quede bien garantiza un sello apretado.

- Use ropa protectora (ej., buzos que cubren todo el cuerpo, guantes, y calzado). Guarde la ropa de calle separadamente de la ropa de trabajo. Nunca use la ropa contaminada en casa.

- Ponga y guarde ropa contaminada en armarios cerrados que impide la dispersión de asbesto fuera del armario.

- Dúchese y cámbiese a ropa limpia, incluyendo zapatos, antes de salir del sitio de trabajo, de manera que no lleve a casa ninguna contaminación de asbesto.

- Lávese sus manos y cara antes de comer, beber, fumar, o usar cosméticos.

- Coma, beba, o fume en lugares fuera del área de trabajo. Tenga todas las cajas de almuerzo y tazas de café lejos del área de trabajo. Use un lugar separado para comer.

Rótulos: Observe los signos de peligro del asbesto.

Reconocimiento médico: Un reconocimiento individual anual al trabajador ayuda a detectar si ha habido exposición excesiva del empleado y fallas en la protección contra asbesto.

Humo proveniente del asfalto

El asfalto es un producto del petróleo que se usa extensamente para pavimentar caminos, para techos, paredes laterales, y trabajo en hormigón. Cuando se aplica asfalto caliente en su estado derretido, genera humo tóxico. Los trabajadores expuestos a humo de asfalto han reportado dolores de cabeza, problemas de respiración, e irritación a la piel. Estudios no conclusivos han reportado cáncer al pulmón, estómago, y piel.

Ha habido mucha discusión acerca de la posibilidad que si verdaderamente los trabajadores están expuestos a los niveles lo suficientemente altos como para causar preocupación. OSHA no ha establecido un límite de exposición para humo de asfalto.

Sin embargo, si usted tiene efectos secundarios provenientes de su trabajo al rededor de humo de asfalto, podría usar equipo de protección personal apropiado, tal como respirador, guantes de servicio pesado, gafas contra salpicaduras, o anteojos de seguridad efectivos, pantalones y mangas largas, y botas. Si le quema el asfalto, aplique agua fría y consiga atención médica. Si tiene dificultades de respiración, vaya a un lugar donde haya aire fresco.

Cadmio

Desafortunadamente, la exposición a cadmio le amenazará si usted hace actividades de construcción como éstas, sin protección:

- Destrucción, demolición, y salvamento de estructuras donde hay presente cadmio o materiales que contengan cadmio;

- Corte, soldadura fuerte, pulverización, o soldadura en superficies pintadas con pinturas que contengan cadmio; y

- Transporte, almacenaje, y desecho de cadmio o materiales que contengan cadmio.

Miremos a los efectos de la exposición al cadmio:

Exposición	Efectos
Exposición alta a corto plazo	Si ha sido ingerido, irritación al estómago, que llega al vómito y diarrea. Si inhalado, constricción de la garganta, dolor del pecho, debilidad, fiebre, trastorno grave a los pulmones, y muerte.
Exposición a largo tiempo	El cadmio se acumula en los riñones causando enfermedad a ellos, daño a los pulmones, y huesos frágiles.

Cuando se ha absorbido dentro del cuerpo en cierta cantidad, el cadmio es una substancia tóxica. Al cadmio se lo absorbe:

Método de absorción	Descripción
Inhalación (respirando)	Donde el cadmio está distribuido en el aire como polvo o humo, puede ser inhalado y entrar a los pulmones.
Ingestión (tragando)	El cadmio puede absorberse a través del sistema digestivo. Si un trabajador manipula comida, cigarrillos, tabaco de mascar, o cosméticos que tienen cadmio sobre ellos, o los manipula con manos cubiertas de cadmio, se lo puede ingerir.

Exposición a los ojos puede causar que ellos se pongan rojos y le duelan. Exposición a la piel resulta en irritación. En ambos casos, lávese con mucha agua. En todos los casos de exposición, busque atención médica.

Medidas protectoras

Hay varios métodos de controlar exposición a cadmio:

Monitoreo: Su compañía determinará si hay cadmio, y si excede el límite de exposición especificado por OSHA. A usted le notificarán de los resultados.

Controles de ingeniería: Si la exposición está más allá de los límites especificados por OSHA, su empresa tratará de minimizar la exposición con controles de ingeniería tales como modificando o encerrando el proceso que genera polvo o humo de cadmio.

Buenas costumbres de trabajo: Si hay un riesgo de exposición de cadmio, considere:

- Use el respirador correcto y limpio aprobado por NIOSH. Póngase y quítese el respirador fuera del área regulada por la presencia de cadmio. Probando que le quede bien garantiza un sello apretado.

- Use ropa protectora. Guarde su ropa de calle separándola de la ropa de trabajo. Nunca use la ropa contaminada en casa.

- Dúchese y cámbiese a ropa limpia, incluyendo zapatos, antes de salir de su lugar de trabajo de manera que no lleve contaminación de cadmio a casa.

- Mantenga su lugar de trabajo limpio. Sólo use una aspiradora con un filtro HEPA o, si no está disponible, moje el área para barrer, cuando está quitando polvo de cadmio. Nunca use aire comprimido para limpieza.

- Lávese las manos y cara antes de comer, beber, fumar, o aplicarse cosméticos.

- Coma, beba, o fume en áreas fuera de su área de trabajo. Mantenga todas las cajas de almuerzo y tazas de café lejos de su área de trabajo. Use un lugar separado para comer.

Rótulos: Cuando estén presentes peligros de cadmio, usted verá un rótulo indicando peligro de cadmio.

Etiquetas: Recipientes que contengan cadmio, compuestos de cadmio, o artículos contaminados con cadmio, deben llevar etiquetas de peligro de cadmio.

Reconocimiento médico: El reconocimiento médico, periódico, e individual al trabajador ayuda a detectar fallas de protección contra el cadmio. Si los niveles están demasiado altos, se debe quitar temporáneamente al trabajador del lugar de trabajo y enviarle a un sitio donde haya una exposición significativamente más baja sin quitarle su salario, antigüedad, derechos o beneficios.

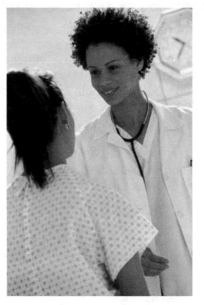

Cancerígenos

Los cancerígenos son substancias peligrosas en su lugar de trabajo que pueden causar cáncer. Para averiguar si cualquiera de los químicos con los cuales usted trabaja son cancerígenos, verifique, ya sea la etiqueta del recipiente, o las hojas de datos de seguridad de materiales para determinar si existe la substancia peligrosa.

Si usted trabaja con un cancerígeno, su empresa tratará de reducir su exposición usando medidas de control, tales como ventilación. Si las medidas de control no reducen suficientemente su exposición, se le puede requerir que use equipo de protección personal.

Escape de diésel o gasóleo

Miles de trabajadores de construcción están expuestos diariamente al escape de motores diésel en transporte o
vehículos de fuera de carretera. Esta exposición incrementa
el riesgo de efectos adversos a la salud incluyendo dolores
de cabeza, náusea, cáncer y enfermedad respiratoria.

Afortunadamente, muchas actividades de construcción
ocurren al aire libre. El aire libre es un buen sistema de ventilación. Sin embargo, de la misma manera, muchas
actividades de construcción se hacen también adentro donde
se usa equipo impulsado con motores diésel a menudo. Para
estos lugares:

- Use buena ventilación.

- Trate de hacer funcionar a estos motores solamente
  cuando sea necesario para disminuir la acumulación del
  escape diésel.

- Si su equipo usa gasóleo, examine las hojas de seguridad de materiales (MSDS) para determinar los límites
  de exposición, los síntomas de exposición, y las precauciones acerca de la naturaleza de los gases del escape.

- Reporte cualquier síntoma de exposición a su
  supervisor.

Plomo

La exposición a plomo puede amenazarle si usted hace actividades como volar abrasivos, lijar, raspar, cortar, quemar, soldar, y pintar mientras va a reparar, reconstruir, desmontar, y trabajar en demolición. Si no está bien protegido, sus posibilidades de envenenamiento por plomo son altas:

Exposición	Efectos
Corto plazo dosis alta	Trastornos al cerebro escalando a ataques, coma, y muerte por paro cardio-respiratorio.
Exposición excesiva a largo plazo	Tiempo retardado de reacción, debilidad en los dedos/muñecas/tobillos, pérdida de memoria, trastorno al sistema nervioso, trastorno a los riñones, trastornos reproductores, anemia, y hasta muerte.

Cuando se absorbe dentro del cuerpo en cierta dosis, el plomo es una substancia tóxica. Al plomo se lo absorbe:

Método de Absorción	Descripción
Inhalación (respirando)	Cuando el plomo se ha distribuido en el aire como polvo, humo, o rocío, se lo puede inhalar y absorber a través de los pulmones y la región superior respiratoria. Operaciones que generan polvo y humo de plomo incluyen: corte con oxiacetileno, suelda, el uso de pistolas de calor, lijando, raspando y esmerilando en superficies con pintura de plomo durante reparaciones, reconstrucción, desmantelamiento, y trabajo de demolición; mantenimiento de equipo de proceso, y trabajo en ductos de escape.

Método de Absorción	Descripción
Ingestión (tragando)	Al plomo se lo puede absorber por medio del sistema digestivo. Si un trabajador manipula comida, cigarrillos, tabaco de mascar, o cosméticos que tienen plomo encima, o los manipula con manos cubiertas de plomo, es posible tragarlo.
Piel	No se absorbe mucho plomo a través de la piel; sin embargo, ciertos compuestos orgánicos de plomo, tales como plomo tetraetílico, se pueden absorber de esta manera.

Medidas protectoras

Hay varias maneras de controlar la exposición al plomo:

Monitoreo: Si el plomo está presente en su lugar de trabajo en cualquier cantidad, su compañía debe determinar si las exposiciones llegan o exceden los niveles definidos por OSHA.

Controles de ingeniería: Si la exposición está más allá del límite de exposición definido por OSHA, su empresa debe tratar de minimizar la exposición con controles de ingeniería tales como aspiradoras HEPA, poniendo distancia entre los empleados y las operaciones de cargas explosivas en abrasivos, remoción química en vez de raspar a mano, reemplazo de componentes de plomo en la pintura de edificios, aplicando pintura por medio de brocha o rodillo en vez de rocío, y substituyendo otros recubrimientos por los recubrimientos basados en plomo, cortando con tijeras hidráulicas en vez de cortando con antorcha, y encapsulado las superficies con plomo.

Buenas costumbres de trabajo: Si hay riesgo de exposición a plomo, considere:

- Usar un respirador correcto y limpio aprobado por NIOSH. Póngase y quítese los respiradores fuera del área con plomo. Asegurándose que le quede bien, garantiza un sello apretado.

- Mantener su lugar de trabajo limpio. Use solamente aspiradoras con un filtro HEPA o métodos de limpiar mojando, cuando se quite el polvo de plomo. Nunca use aire comprimido para limpieza.

- Comer, beber, o fumar en lugares fuera del sitio de trabajo. Mantenga su caja de almuerzo y tazas de café lejos del área de trabajo. Use un lugar separado para comer.

- Lavarse sus manos y cara antes de comer, beber, fumar, o maquillarse.

- Usar ropa protectora. Guarde su ropa de calle separada de la ropa de trabajo. Nunca use la ropa contaminada en casa.

- Ducharse y cambiarse a ropa limpia, incluyendo zapatos, antes de irse de su trabajo, de manera que no lleve contaminación de plomo a casa.

Rótulos: Si la exposición excede el límite de exposición definido por OSHA, usted verá letreros advirtiéndole acerca de plomo.

Reconocimiento médico: Un reconocimiento médico periódico de trabajadores individuales ayuda a detectar fallas a la protección contra el plomo. Si el nivel de sangre del trabajador es 50 mg/decilitro, entonces la compañía debe sacar temporáneamente a este trabajador de su trabajo regular y colocarlo donde haya una exposición significantemente menor sin que haya pérdida de salario, antigüedad, derechos, o beneficios.

Moho

Recientemente, ha habido muchas noticias acerca del daño causado por moho en lugares de construcción y renovación. Sin embargo, muchas personas no entienden cómo o por qué está ocurriendo este problema de moho en la construcción.

El moho puede encontrarse prácticamente donde quiera; crece virtualmente sobre cualquier sustancia cuando hay humedad presente. El moho produce pequeñas esporas para reproducirse, similar que las semillas de las plantas.

Estas esporas del moho circulan continuamente a través del aire puertas adentro y al aire libre.

Cuando estas esporas aterrizan en un lugar húmedo dentro de una casa o edificio, comienzan a crecer y a digerir cualquier cosa sobre lo cual estén creciendo para poder sobrevivir. Hay moho que puede crecer en madera, papel, alfombra, comidas, y hasta en la dinamita. Cuando humedad excesiva, o agua se acumula en puertas adentro, el crecimiento de moho ocurre a menudo, particularmente si el problema de la humedad no ha sido descubierto o resuelto.

No hay una manera práctica de eliminar todo el moho y las esporas del moho en el medio ambiente; la manera de controlar el crecimiento del moho es controlando la humedad.

Exposición al moho

Se estima que hay entre 50 a 100 tipos de moho comunes puertas adentro que tienen el potencial de crear problemas a la salud. Se ha identificado la exposición a este moho como una causa potencial de muchos problemas a la salud incluyendo asma, sinusitis, e infecciones. También se cree que el moho tiene un papel mayor en los casos del síndrome del edificio enfermo y enfermedades relacionadas.

Daño del moho

El lugar de construcción es un entorno que típicamente está listo para el crecimiento del moho. Los materiales de construcción que han sido empapados con agua, tal como aislamiento de fibra de vidrio, tableros para paredes, azulejos para cielo raso, y alfombras constituyen un medio excelente para el crecimiento microbiano.

Derrame de agua sobre muebles o dentro de los componentes de un edificio puede resultar en la proliferación de microorganismos que pueden liberar al aire substancias agudamente irritantes. Generalmente, donde se permite que los microorganismos crezcan, un olor a moho se desarrolla. Este olor a moho se asocia, con frecuencia, con contaminación microbiano y es el resultado de los químicos que se liberan durante el crecimiento microbiano.

Buenas prácticas de trabajo

Tres condiciones deben existir en edificios antes de que pueda ocurrir contaminación microbiana.

- Alta humedad (sobre el 70 por ciento),

- Temperaturas apropiadas, y

- Medios apropiados para el crecimiento.

Su compañía debe tomar pasos para asegurarse que estas tres condiciones no ocurran. Es importante que todo lugar potencial para la entrada de agua sea inspeccionado y que cualquier material de construcción que se use no esté mojado, o lleno de humedad.

Radiación

La palabra radiación connota peligro y muerte, y debería hacerlo. Mientras que los efectos de exposición dependen en el tipo de radiación, la intensidad, la dosis, la duración y la parte del cuerpo que fue expuesta, los efectos a la salud de exposición incluyen nausea, vómito, diarrea, debilidad, postración, y muerte. Además, la exposición a largo plazo contribuye a un incremento en el riesgo al cáncer. Sin embargo, si usted está protegido y entrenado, la tecnología de radiación le puede ayudar a hacer su trabajo con seguridad. Hay dos tipos de radiación:

Tipo de radiación	Incluye
Ionizante	Incluye rayos alfa, beta, gamma, rayos X, neutrones, electrones de alta velocidad, protones de alta velocidad, y partículas atómicas.
No ionizante	Ondas de sonido o radio, luz visible, o luz infra- roja o ultra violeta.

En la mayoría de los lugares de construcción la única radiación que se usa no es ionizante y es producida por equipo láser. El láser se ha usado en la industria de construcción por muchos años, especialmente en la actividad de nivelación y alineamiento. Están desarrollando nuevas tecnologías todo el tiempo con muchas en el área de control de las hojas de nivelación de tractores y motoniveladoras para cortar y nivelar con precisión. Sin embargo, los láseres en el lugar de trabajo deben ser operados solamente por trabajadores entrenados en el uso del equipo láser.

Medidas protectoras

Siga las siguientes precauciones para equipo láser:

- Busque rótulos o letreros de advertencia para láser (estos estarán cerca de lugares donde se está usando láser);

- Fije operaciones de láser encima de las cabezas de los empleados cuando sea posible;

- Use obturadores o tapas del rayo, o apague el láser cuando la transmisión de láser no sea requerida;

- Apague el láser, cuando lo deja solo por un largo tiempo, tal como la hora de almuerzo, de un día al otro, o en los cambios de turno;

- Use solamente medidas mecánicas o electrónicas como el uso de un detector para guiar el alineamiento interno del láser;

- Lea la etiqueta en el equipo láser, lo cual indica su salida máxima;

- Nunca apunte el rayo láser a los trabajadores;

- Cuando este lloviendo, nevando, o cuando haya polvo o haya niebla en el aire, el operación del laser debe ser prohibida cuando se puede. Manténgase lejos del alcance del lugar de la fuente del laser y su blanco durante tales condiciones de tiempo; y

- Use protección ante láser para los ojos si está trabajando en un lugar donde hay exposición potencial a rayos directos o reflejados de luz láser con capacidad de más de 5 milivatios.

Riesgos al sistema reproductor

Ya que muchos químicos en el lugar de trabajo pueden afectar al sistema reproductor masculino o femenino, estos químicos están volviéndose una creciente preocupación. Los efectos al sistema reproductor son:

Fertilidad reducida
Implantación sin éxito
Un feto anormal
Libido reducido

Trastornos menstruales
Muerte prenatal
Poco peso al nacer
Defectos al nacimiento

Inhabilidades de desarrollo o comportamiento
Cáncer

Algunos químicos que causan estos efectos se encuentran en uso en el trabajo e incluyen metales pesados tales como plomo y cadmio, solventes orgánicos (éter glicólico), y intermediarios químicos (estireno y cloruro de vinilo). Aunque OSHA no tiene reglas generales para los riesgos reproductores, regula estos cuatro químicos que se conocen como causantes de peligros reproductores y que se encuentran en muchos lugares:

Dibromocloropropano
Plomo

Cadmio
Óxido etílico

Los riesgos reproductores pueden entrar a su cuerpo, dependiendo en las substancia, por medio de inhalación, contacto con la piel, o ingestión. Por lo tanto, lávese sus manos de forma apropiada antes de comer, beber, o fumar. Chequee las MSDS's de cada químico con los cuales trabaja para verificar si es un peligro al sistema reproductor.

Silicosis

Sílice cristalino (SiO_2) es un compuesto natural que se encuentra en materiales tales como hormigón, masonería, y roca. La mayoría del sílice cristalino viene en la forma de cuarzo. La arena común puede tener tanto como 100 por ciento de cuarzo. Cuando

se pulverizan estos materiales y el polvo está suspendido en el aire como cuando se está limpiando a chorro con arena, las partículas pequeñas que se producen pueden causar daño al pulmón, cáncer al pulmón, falla del corazón y tuberculosis. La enfermedad pulmonar asociada con el polvo de sílice se llama silicosis. Más o menos 300 muertes por año se atribuyen a silicosis.

La etapa inicial de esta enfermedad puede que no sea notable. Sin embargo, exposición continuada puede resultar en:

Insuficiencia respiratoria que progresa a dificultad en respirar y a falla respiratoria

Dolor al pecho

Pérdida de apetito

Fiebre

Ocasionalmente, piel azulada en los lóbulos de las orejas o labios

Fatiga

Muerte

La silicosis puede ser "aguda", lo cual significa que puede desarrollarse después de un periodo corto de exposición, o puede ser "crónica", significando que puede ocurrir después de diez o más años de exposición a niveles más bajos del polvo. Consulte a su doctor si siente cualquier síntoma o sospecha que puede haber estado expuesto a sílice cristalina.

En construcción, hay un número de actividades donde el polvo de sílice está presente:

Limpiando con chorro de arena para quitar pintura y óxido

Barriendo en seco o con aire presurizado para soplar el polvo de hormigón o arena

Operaciones de martillo hidráulico

Operaciones para hacer túneles

Desconchando, martillando, esmerilando, triturando, cargando, acarreando, y desechando roca

Reparación o reemplazo de los forros internos de calderas rotativas, y calderas de cúpula

Mezclando, desconchando, martillando, perforando, serrando, amolando, y demoliendo hormigón o masonería

Fijando, instalando o reparando rieles de ferrocarril

Medidas protectoras

Impidiendo que el polvo se vaya al aire es la primera manera de evitar silicosis. Esto se puede conseguir con el simple uso de una manguera de agua para mojar el polvo dónde y cuándo se lo crea. Otros métodos de protección incluyen:

- Usando sistemas para recolectar el polvo en equipo que genera polvo;

- Usando una sierra que hecha agua a la hoja cuando se está serrando hormigón o masonería;

- Usando agua a través del tallo del taladro para reducir la cantidad de polvo que se va al aire cuando se está perforando roca;

- Usando sistema de ventilación de escape local para prevenir que el polvo se eche al aire;

- Usando buenas costumbres de trabajo para minimizar la exposición de los trabajadores cercanos;

- Usando abrasivos que contengan menos de 1 por ciento de sílice cristalina durante cargas explosivas de abrasivos para evitar que el polvo peligroso del cuarzo se eche al aire;

- Usando un respirador cuando se lo requiera, no como protección primordial, pero cuando todos los otros controles están en sitio y los niveles de polvo están sobre los niveles de exposición recomendados por el Instituto Nacional para Salud y Seguridad Ocupacional (NIOSH);

- Midiendo los niveles de polvo en el aire;

- Cambiándose a ropa desechable o lavable en el lugar de trabajo;

- Duchándose y cambiándose a ropa limpia antes de salir del lugar de trabajo;

- No comiendo, bebiendo, fumando, o maquillándose en lugares que contengan polvo;

- Lavándose las manos y cara antes de comer, beber, fumar, o maquillarse; y

- Haciéndose examinar por el doctor en un examen que incluya radiografía al pecho, un examen de función pulmonar y una evaluación anual para tuberculosis.

Solventes

Muchos materiales con lo cuales uno trabaja todos los días contienen solventes. Ejemplos de los solventes incluyen:

Alcohol	Cloruro de metilo	Tolueno
Bencina	Cetona de metilo etilo	Tricloroetileno
Gasóleo		Trementina
Kerosene	Solventes de pintura	Barniz
Laca	Pintura	Xileno
	Destilados de petróleo	

Los peligros a la salud conectados con la exposición a los solventes incluyen:

| Toxicidad al sistema nervioso | Daño al hígado y riñones | Cáncer |
| Daño reproductor | Trastornos respiratorios | Dermatitis |

Las MSDS's para cada solvente con el cual usted trabaja, mostrará información de los riesgos del solvente a la salud. Usted encontrará estas MSDS's en su lugar de trabajo.

La mayoría de los solventes entran al cuerpo cuando uno los inhala. Por eso es importante el tener ventilación adecuada y/o usar un respirador apropiado. Sin embargo, un solvente puede también entrar a su cuerpo a través de su piel o por medio de comida, o bebida contaminada con el solvente.

OSHA ha establecido "límites permitidos de exposición" o PEL's para más de 100 solventes, incluyendo aquellos que más se usan. Los PEL's son cantidades del solvente en el aire de los cuales uno no pueden excederse. Si su empresa encuentra que excede el PEL para un solvente, debe usar medidas de control tales como ventilación, para reducir su exposición.

Cuando estos controles son imposibles o inadecuados, es probable que se le requiera que use equipo de protección personal, tal como un respirador. No importa cual sea el PEL, siempre siga procedimientos para manejar y usar con seguridad los solventes con los cuales usted trabaja.

Extremos de temperatura

Los extremos de temperatura pueden ser inaguantables para muchos trabajadores. Se puede desarrollar insolación, hipotermia, y congelación. El calor o el frío hasta le pueden matar. Por esos peligros, es importante que entienda los trastornos asociados con extremos de temperatura y las precauciones que usted debe usar para prevenirlos en su lugar de trabajo.

Calor extremo

Aunque el cuerpo trata de mantener su temperatura, condiciones calientes en su lugar de trabajo pueden llevar a trastornos del calor perjudiciales; sopor, insolación, síncope de calor (desmayo) y pruritos del calor.

Factores del medio ambiente que afectan cuan severo es el trastorno del calor, inclu-yen temperatura, humedad, calor radiante, (calor del sol o de otro equipo), y velocidad del aire. El plazo de exposición y la actividad  física pueden afectar su condición. Su habilidad de funcionar bien en condiciones calientes también depende en la edad, peso, salud, dieta, condición médica, y aclimatación.

Más probablemente, el calor afectará a trabajadores que no están aclimatados a sus efectos. Toma más o menos cinco a siete días de exposición incrementada para aclimatarse al calor. El cuerpo cambia para hacer más tolerable la exposición continua al calor.

Medidas protectoras

Algunas cosas que se puede hacer para prevenir trastornos del calor son:

* Usar ropa floja, ropa clara, tal como algodón;

* Beber mucha agua fresca-5-7 onzas cada 15-20 minutos;

* Evitar comidas pesadas antes de trabajar en el calor;

* Alternar las tareas para limitar el tiempo en el calor extremo;

- Evitar cafeína, alcohol-éstas causan que el cuerpo pierda agua;

- Tomar descansos cortos y frecuentes, en lugares frescos y con sombra;

- Usar herramientas de fuerza, en vez de herramientas de mano;

- Usar equipo de protección personal (PPE en inglés) apropiado para el uso en el calor (el PPE por si solo no debe acalorar más); y

- Entender los trastornos provenientes del calor.

Frío extremo

Cuando está expuesto al frío, su cuerpo trata de conservar el calor para su cerebro y sus órganos mayores reduciendo la circulación a su piel, y luego a sus extremidades, y entonces a otros órganos. Eventualmente usted no puede moverse, su respiración se vuelve más débil, su cerebro pierde el razonamiento, se queda a media consciencia, y su corazón late irregularmente, luego se detiene y entonces ocurre la muerte. El frío excesivo puede llevar a accidentes debidos a olvido, inhabilidad de usar las manos, y postración, asociados con hipotermia y congelación.

Los factores del medio ambiente afectando la severidad de

los trastornos debidos al frío incluyen temperatura, humedad, y viento. Factores adicionales que afectan su situación incluyen el plazo de exposición, el tipo de ropa, la cantidad de piel expuesta y el movimiento del cuerpo. Deshidratación, cafeína, alcohol, y algunos medicamentos pueden afectar la habilidad de su cuerpo, a detectar el cambio en la temperatura del cuerpo.

Medidas Protectoras

Algunas cosas que se pueden hacer para prevenir los trastornos ante el frío son:

- Esté consciente de las condiciones del medio ambiente que podrían llevar a aflicción relacionada con el frío;

- Reconozca las señales y síntomas de trastornos relacionados al frío;

- Use la ropa apropiada; su ropa debe estar en capas para ajustarse a las temperaturas cambiantes y a las condiciones del tiempo;

- Use sombrero, guantes, y ropa interior que mantengan la humedad lejos del cuerpo;

- Evite fatiga o cansancio extremo; se necesita energía para crear calor a los músculos;

- Use el sistema de compañerismo;

- Tome bebidas calientes y dulces; evite cafeína y alcohol;

- Ingiera comidas calientes y con muchas calorías;

- Descanse bien para ayudar a que su cuerpo haga frente al frío;

- Manténgase seco y quítese la ropa si se moja; y

- Examine su cuerpo por señales de congelación-especialmente las manos, pies, orejas, y cara.

Ventilación

El trabajo de construcción puede echar al aire todo tipo de contaminante. Esta es la naturaleza de actividades tales como limpiar a chorro, amolar, pulir, sacar brillo, acabar al rocío, y trabajar en la superficie abierta de tanques para limpiar o dar acabado al material. Examinemos varios tipos de contaminantes en la próxima página.

Polvo

Al polvo lo forma partículas sólidas generadas por el acto de manejar, triturar, amolar, impactar rápidamente, hacer detonar, o calentar materiales como roca, cemento, metal, carbón, o madera. La mayoría de los polvos generados por construcción, consisten de partículas que varían mucho en tamaño, habiendo mucho más partículas pequeñas que grandes. Cuando se nota polvo en el aire, hay seguramente mucho más partículas invisibles de polvo que visibles. El tipo de polvo que se considera como el que se pueda respirar es el que tiene las partículas más pequeñas, y es que puede causar dificultad en respiración, enfermedades respiratorias y muerte, cuando haya exposición a largo plazo. La sílice es un buen ejemplo de un polvo que causa la enfermedad respiratoria que se llama silicosis.

Fibras

Son partículas sólidas cuya largura es mucho más grande que su diámetro. El asbestos (amianto) es un ejemplo de este tipo de fibra. Estos son los mayores contribuidores a las dificultades de respiración y enfermedades respiratorias provenientes de exposición a largo plazo.

Humos

Los humos se forman cuando material que proviene de un sólido se condensa en el aire frío. Las partículas sólidas que constituyen humo, son extremadamente pequeñas, muy fáciles de respirar y potencialmente nocivas. El pintar, soldar, y otras operaciones que incluyen vapores provenientes de metales derretidos, pueden producir humos que son nocivos bajo ciertas condiciones. Como el humo de estas operaciones puede ser tóxico, los dolores de cabeza son síntomas comunes de la contaminación de humo.

Neblina

Son gotitas líquidas suspendidas, generadas por la dispersión de un líquido cuando hay salpicadura o rocío. Las fuentes son neblinas de aceite provenientes de operaciones de cortar y amolar, neblinas ácidas provenientes de galvanización, y neblina proveniente de operaciones de acabado a chorro.

Vapores

Son normalmente sólidos o líquidos a temperatura y presión ambientes. La evaporación cambia un líquido a un vapor. Los solventes se vaporizan con facilidad. Los solventes con puntos de ebullición bajos, fácilmente pueden formar vapores a la temperatura ambiente.

Gases

Son fluidos sin forma que se expanden a llenar el espacio que los contiene. Los gases provienen de soldadura por arco, gases de tubo de escape (tales como los provenientes de camiones volquete y montacargas), y aire.

Su compañía no debe permitir que estos contaminantes excedan los límites especificados por OSHA. Usará varias formas de ventilación como ventiladores de evacuación, chorros de evacuación, ductos, campanas, separadores, etc. para controlar los contaminantes. Sin embargo, cuando todavía se exceden los límites hasta cuando se usan técnicas de ventilación, es obligatorio el uso de respiradores apropiados.

Medidas protectoras

¿Cómo puede protegerse uno mismo de estos contaminantes?

* Sepa los lugares de los peligros, incluyendo tanques de superficie abiertos, áreas de soldadura, y áreas donde se está limpiando con chorro de arena. Reconozca las señales de advertencia donde hay un problema de contaminación.

* Use un respirador aprobado por NIOSH para reducir su exposición y/o suministrar el oxígeno adecuado. Almacénelo para acceso inmediato. Sepa como ponérselo, hacer que le quede bien, y quitárselo.

* Use otro equipo de protección personal apropiado. Utilice botas de caucho; el tipo y el largo de guantes diseñados para el trabajo; gafas y defensas a la cara cuando hay salpicadura química; delantales, chaquetas, mangas, u otras ropas hechas de caucho o materiales que son impermeables a los líquidos.

- Tenga una persona de asistencia afuera del tanque en el lugar sin contaminación más cercano. El/ella debe tener un respirador apropiado y poderse comunicar con el empleado dentro del tanque. Use una cuerda de salvamento para espacios limitados y trabajo dentro de un tanque, de manera que la persona en asistencia pueda rescatar al empleado adentro.

Trabaje con el propósito de trabajar con seguridad

Aunque hay un número de peligros en el trabajo a los cuales uno debería estar alerta, quizás es más fácil pensar en estos peligros como cosas que uno:

- Respira,

- Traga sin querer hacerlo,

- Puede absorber a través de la piel, y

- Tolera (calor y frío).

Tiene sentido entonces que la mayoría de las buenas costumbres del trabajo le prevendrán a usted de respirar, tragar, absorber, o tener que aguantar el peligro. Entendiendo esta conexión entre la exposición y las prácticas de trabajo, ayudarán a mantenerlo seguro.

Empleado _____

Instructor _____

Fecha _____

Compañía _____

REPASO DE EXPOSICIÓN EN EL SITIO DE TRABAJO

1. Un ejemplo de una enfermedad aguda es:
   a. Enfermedad de los riñones
   b. Artritis
   c. Pulmonía
   d. Cáncer de los pulmones

2. Una enfermedad crónica puede ser tratada pero no curada
   a. Verdadero
   b. Falso

3. Las fibras de asbesto, pueden entrar al cuerpo por medio de:
   a. Osmosis
   b. Inhalación
   c. Ingestión
   d. b y c

4. Exposición a cadmio puede resultar al hacer el siguiente tipo de tarea, con un material que contenga el químico:
   a. Cortar
   b. Transportarlo
   c. Demolición arriba
   d. Todo lo de arriba

5. Cancerígenos son substancias peligrosas que pueden causar:
   a. Cáncer
   b. Enfermedades al corazón
   c. Toxinas reproductoras
   d. Todo lo de arriba

6. El cuerpo puede absorber plomo por medio de:
   a. Inhalación
   b. Ingestión
   c. La piel
   d. Todo lo de arriba

7. El moho puede crecer cuando hay una temperatura apropiada, entorno apto para su crecimiento, y_____.
   a. Alta humedad
   b. Aire seco
   c. Viento
   d. Todo lo de arriba

8. Un ejemplo de radiación que pudiera ser peligrosa a la salud:
   a. Ondas de sonido
   b. Rayos X
   c. Láseres
   d. Todo lo de arriba

9. Silicio cristalino, es un compuesto natural que se encuentra en_____ que puede causar enfermedad crónica si está expuesto a polvo fino en el aire.
   a. Hormigón o concreto
   b. Mampostería
   c. Rocas
   d. Todas las de arriba

10. Límites Permitidos de Exposición o PELs (en inglés) indican:
    a. Cantidad de un riesgo en el aire que no se puede exceder
    b. Procedimientos de manejo seguro de químicos
    c. Que se requiere un tipo de equipo personal de protección
    d. Todo lo de arriba

ESCALERAS Y ESCALERAS DE MANO:
SUBIENDO CON SEGURIDAD

Las caídas son una preocupación de seguridad muy grave para las empresas, especialmente en la industria de construcción. Aunque las lesiones pudieran ocurrir en el mismo nivel, o en superficies de trabajo elevadas, las lesiones que resultan de las caídas a menudo afectan partes corporales múltiples (como espalda, rodillas, tobillos, muñecas y cabeza) y requieren más tiempo para recobrarse o, peor aún, causan muertes.

Cuando se estudia más cuidadosamente a las caídas desde escaleras, los factores contribuyentes incluyen resbalones en la escalera (arriba o abajo), tratando de alcanzar muy lejos, resbalones en peldaños, equipo defectuoso, y selección inapropiada para la tarea a mano. Hay usos apropiados para escaleras de mano y las de extensión, pero la elección equivocada de la escalera para una tarea particular, puede poner al usuario en un riesgo más alto de caerse.

Ejemplos de escaleras

Se diseñan y fabrican las escaleras para ser fijas o portátiles y para proporcionar acceso fácil a varias situaciones de trabajo. Las configuraciones de escalera varían por su longitud, capacidad de carga (eg., tipo IA, I, II, o III) material usado en la escalera (eg., madera, aluminio o fibra de vidrio). Las clases comunes incluyen, rectas, de mano, de caballete; caballete de extensión; plataforma; de combinación; tipo de albañil y de extensión, dobles o triples. Sus tamaños tienen la gama desde las de mano de 2 pies a 72 pies, escaleras de extensión de tres secciones, al igual que escaleras fijas que pueden extenderse cientos de pies (eg., que dan acceso a la parte superior de una torre de agua).

OSHA dice

Según OSHA su empleador debe suministrar una escalera en todos los puntos de acceso que tengan una diferencia de elevación de más de 19 pulgadas, cuando una rampa, pasillo, terraplén inclinado, o grúa personal no han sido proporcionadas. Requisitos generales adicionales incluyen:

* Los requerimientos de seguridad de escaleras y escaleras de mano deben haber sido establecidos antes de que usted comience a trabajar.

* Los puntos de acceso de un nivel a otro, deben mantenerse limpios y ordenados para permitir el paso libre de los empleados.

* Se deben proporcionar dos o más puntos de acceso cuando uno esté restringido debido a trabajo o equipo.

Las regulaciones para las escaleras y escaleras de mano se Encuentran en 29 CFR 1926.1050 – .1060.

Escaleras de mano

Una escalera de mano puede prestar mucha ayuda en su trabajo. Las escaleras de mano pueden generalmente ponerse en tres categorías: fija, portátil, y hecha para la tarea. Cuando usted escoja cual escalera de mano usar, considere:

- **Tipo** — Las escaleras de tijera son buenas para el trabajo cerca del suelo, mientras que las escaleras rectas o escaleras de extensión son para trabajo que requiera más altura.

- **Largura** — Busque la largura precisa para el trabajo que vaya hacerse desde un alto conveniente sin que se le requiera sobre alcanzar o trabajar en una manera peligrosa.

- **Material** — La madera no conduce electricidad, es pesada, difícil de mover y difícil de inspeccionar si está pudriéndose. Las de metal son livianas y resistentes a las condiciones del clima, pero conducen electricidad. Las de fibra de vidrio son livianas, de larga duración, no conducen y tienen buena tracción.

- **Fuerza** — Escoja fuerza liviana, mediana, o de servicio pesado dependiendo en el peso y tensión que tendrá que soportar la escalera.

Aunque las escaleras no tienen complicación y son simples de usar, uno no puede ser muy confianzudo a la seguridad.

Todas las escaleras de mano deben:

- Tener superficies que no tengan astillas, no tengan partes que agarren, o causen lesiones.

- No tener aceite, grasa, u otros peligros de resbalones.

- Tener barandas laterales que no conduzcan si se las va a usar donde hay la posibilidad de que haya contacto con partes eléctricas.

- Ser inspeccionadas por una persona capacitada quien busque periódicamente defectos visibles, y después de que haya habido algo que pudiera afectar el uso seguro de la escalera de mano. Si se encontraran defectos tales como corrosión o partes rotas defectuosas o faltantes, no se debe usar la escalera de mano hasta que se haya hecho las reparaciones. Ponga un rótulo en una escalera de mano defectuosa que diga "DO NOT USE" ("NO LA USE") o identifique claramente que está defectuosa.

- Deben tener peldaños, superficies contra-resbalones, y escalones que estén paralelos, nivelados, y que tengan espacios uniformes cuando se esté usando la escalera de mano.

- Ser colocadas en superficies estables y niveladas a no ser que se las haya "amarrado" para evitar movimiento accidental. No ponga la escalera de mano sobre superficies resbalosas a no ser que tengan patas contra resbalones o estén debidamente trancadas. Sin embargo, patas que resisten resbalones no son un substituto para buena colocación, amarre, o sostén de la escalera en superficies resbalosas.

- Nunca estar amarradas o sujetadas a otra escalera para hacerla más larga.

- Tener un espacio al rededor de la parte superior o parte inferior de la escalera.

- Nunca ser cambiadas de lugar, ser movidas, o extendidas mientras alguien esté parado sobre ellas.

Cuando ascienda o descienda una escalera usted debe encarar la escalera y usar por lo menos una mano para agarrar la escalera todo el tiempo. No lleve con usted ninguna cosa que podría causarle que pierda su equilibrio y se caiga.

Escaleras de mano portátiles

Cuando se usa una escalera de mano portátil, establezca un ángulo para la escalera de mano de manera que la base esté a un pie de distancia de la línea vertical por cada cuatro pies de altura de la escalera (punto de sostén a base).

Los miembros laterales de la escalera deben extenderse por lo menos 3 pies sobre la superficie superior de sostén. Si esto no es posible debido a la largura de la escalera, se debe "amarrar" la parte superior de la escalera a un sostén rígido que no se tuerza. También, es necesario tener un sostén, en la parte superior, para que los empleados agarren cuando se suban y bajen de la escalera.

Escaleras fijas de mano

Las escaleras fijas de mano no pueden moverse o cargarse porque son una parte integral del edificio o estructura. Estas escaleras deben:

- Tener jaulas, pozos, dispositivos de seguridad para la escalera, o cuerdas de salvamento que se retracten solas cuando la altura de ascenso es menos de 24 pies pero la parte de arriba de la escalera esté a una distancia más allá de 24 pies sobre los niveles inferiores.

- Tener lo siguiente cuando la largura total del ascenso sea igual o más de 24 pies:

  o Dispositivos de seguridad para la escalera; o

  o Cuerdas de salvamento que se retractan solas y plataformas de descanso a intervalos que no excedan 150 pies; o

  o Una jaula o pozo, y secciones de escalera múltiples, cada sección que no exceda 50 pies en largura. Las secciones de la escalera deben estar compensadas de las secciones adyacentes y se debe proporcionar plataformas de descanso a intervalos de 50 pies.

Los dispositivos de seguridad para escaleras y sistemas de sostén, relacionados para las escaleras fijas de mano, deben:

- Permitir que usted suba y baje sin que tenga que sostenerse continuamente, empujar o tirar cualquier parte del dispositivo, consecuentemente dejando ambas manos libres para poder trepar.

- Activarse dentro de 2 pies después de que ocurra una caída.

Escaleras de mano hechas para la tarea

Las escaleras de mano hechas para la tarea deben estar construidas para el propósito de su uso. Los fiadores deben tener espacios de 10 a 14 pulgadas y ser uniformes.

Se debe usar escaleras de mano de madera, hechas para la tarea, con rieles laterales conjuntadas, a tal ángulo que la distancia horizontal sea un octavo de la largura de trabajo de la escalera de mano.

Escaleras

Todos nosotros nos hemos tropezado o pisado mal cuando hemos estado subiendo o bajando escaleras. En realidad, un estudio indicó que las personas dan un mal paso en las escaleras por cada 2,000 pasos dados. Desgraciadamente, estos mal pasos pueden convertirse en caídas. La mala tracción o tropezándose sobre objetos en las escaleras, también llevan a caídas.

Como usamos las escaleras frecuentemente, es fácil olvidarse que pueden ser peligrosas. Esto es lo que puede hacer para protegerse de lesiones:

- Agarre las barandas o pasamanos cuando sea posible. Si está cargando algo, tenga más cuidado.

- No suba o baje corriendo o salte de descanso a descanso.

- No cargue algo que no le permita ver adelante.

- Reporte cualquier condición peligrosa con rapidez. Es posible que usted no pueda controlar la luz o el desorden en la escalera, pero puede reportar esto a su supervisor o personal de mantenimiento.

- Reporte peldaños, tablas o pasamanos flojos o rotos.

Requerimientos generales para escaleras incluyen:

- Las escaleras que no sean una parte permanente de la estructura donde está trabajándose, deben tener descansos de no menos de 30 pulgadas en la dirección que se está avanzando y extenderse por lo menos 22 pulgadas en ancho cada 12 pies o menos de ascendencia vertical.

- Donde hayan puertas o portones que se abran directamente sobre la escalera, debe suministrarse una plataforma. La abertura de la puerta debe dejar por lo menos 20 pulgadas de ancho efectivo.

- Todas las partes de la escalera deben estar sin proyecciones peligrosas tales como clavos que sobresalen.

- Se debe eliminar condiciones resbalosas antes del uso.

Barandas y pasamanos

- Las escaleras que tengan más de cuatro peldaños o que se eleven más de 30 pulgadas, cualquiera sea lo menor, deben estar equipadas por lo menos con un pasamano y un sistema de baranda a lo largo del filo o lado sin protección, de la escalera.

- Los pasamanos deben tener por lo menos 36 pulgadas midiéndose desde la parte superior del peldaño al pasamano.

- Los barandas deben tener de 30 a 37 pulgadas de alto midiéndose desde la superficie del peldaño.

- Pasamanos y miembros superiores de un sistema de pasamanos deben poder aguantar una fuerza de 200 libras aplicadas dentro de dos pulgadas del filo superior, en cualquier dirección hacia abajo o hacia afuera, y en cualquier punto a lo largo del borde superior.

- Las superficies de los pasamanos y barandas no deben tener astillas, y deben evitar laceraciones, o agarrarse en la ropa.

- Los pasamanos deben proporcionar un sostén de mano adecuado para evitar caídas. Si los pasamanos no son permanentes, debe haber por lo menos un claro de 3 pulgadas entre el pasamano y la pared.

- Los lados y bordes sin protección de los descansos de la escalera deben tener sistemas de pasamanos. Los pasamanos deben cumplir con los requerimientos de la regla de protección contra caídas.

Entrenamiento de escaleras de mano y escaleras

A usted se le debe capacitar en el uso seguro de escaleras de mano y escaleras. Debe dar el entrenamiento una persona capacitada y debe entrenarle a:

- Reconocer los peligros relacionados a escaleras de mano y escaleras, y las maneras de minimizar estos peligros;

- Entender la construcción, uso, y ubicación apropiados y el cuidado en el manejo de escaleras y escaleras de mano;

- Saber la máxima capacidad de carga para estas escaleras o escaleras de mano, y

- Entender las regulaciones de OSHA para escaleras de mano.

A usted se le entrenará de nuevo, cuantas veces sea necesario, para asegurar que su entendimiento sobre la seguridad de escaleras de mano y escaleras, se mantenga actualizado.

Trabajando con el propósito de trabajar con seguridad

Es fácil encontrar lugares de construcción que no toman medidas de seguridad para escaleras de mano y escaleras. En realidad, las medidas que se olvidan más a menudo aparecen debajo:

- Las vigas o largueros verticales de la escalera deben extenderse por lo menos 3 pies sobre la superficie superior a donde está llegándose. Si esto no es posible por razón de la largura de la escalera, se debe "amarrar" la escalera a un sostén rígido que no se doble o tuerza. Debe haber un pasamano o miembro sostén para agarrar en la parte de arriba, y así ayudar a los empleados a salir o entrar a la escalera.

- Escaleras que tengan más de cuatro peldaños o se eleven más de 30 pulgadas, cualquiera sea el menor, deben estar equipadas por lo menos con un pasamano o baranda, y un sistema de la baranda a lo largo de cualquier borde o filo sin protección.

- Su empresa debe suministrar una escalera o escalera de mano en todos los puntos de acceso que tengan una diferencia de elevación de 19 pulgadas o más y no haya una rampa, pasillo inclinado, terraplén inclinado o grúa para personas.

- Escaleras de mano con defectos estructurales, tales como peldaños, fiadores, o calzas rotas o faltantes, rieles laterales rotas o agrietadas, componentes corroídos, u otros componentes defectuosos, deben ser rotuladas inmediatamente y sacadas del uso hasta que hayan sido reparadas.

Mire al rededor en su lugar de trabajo, es posible que usted pueda sacar a relucir problemas y de esta manera prevenir accidentes graves.

Empleado _____

Instructor _____

Fecha _____

Compañía _____

REPASO DE ESCALERAS Y ESCALERAS DE MANO

1. Un factor contribuyente en las caídas desde escaleras es:
   a. Selección inapropiada de escalera
   b. Tratando de alcanzar muy lejos
   c. Resbalándose en el peldaño
   d. Todo lo de arriba ✓

2. Una escalera o escalera de mano tiene que ser suministrada por un empleador cuando la diferencia en altura alcanza:
   a. 10 pulgadas
   b. 12 pulgadas
   c. 19 pulgadas ✓
   d. 22 pulgadas

3. Algo a considerarse cuando se elije una escalera es:
   a. Fuerza
   b. Material
   c. Largura
   d. Todo lo de arriba ✓

4. Cuando use una escalera portátil asegúrese que los largueros laterales se extiendan por lo menos_____ sobre la superficie superior de arrimarse.
   a. 12 pulgadas
   b. 3 pies ✓
   c. 6 pies
   d. 12 pies

5. Si la longitud total de trepar una escalera fija es igual o excede 24 pies, usted debería usar:
   a. Dispositivos de seguridad de la escalera
   b. Cuerda de salvamento que se retractan solas y plataformas de descanso
   c. Una jaula
   d. Cualquiera de los de arriba ✓

6. Los traveseros en escaleras fijas deben estar espacia-
   das por:
   a. 3 a 6 pulgadas
   b. 5 a 7 pulgadas
   c. 10 a 14 pulgadas ✓
   d. 12 a 16 pulgadas

7. Escaleras que tengan 4 o más peldaños, o que se eleven más de 30 pulgadas tiene que estar equipadas con:
   a. Un pasamanos
   b. Un pasamanos una baranda ✓
   c. Un pasamanos, una baranda y tableros para los pies
   d. Ninguno de los de arriba

8. Los pasamanos no pueden ser menos de _____altura.
   a. 12 pulgadas de
   b. 24 pulgadas de
   c. 36 pulgadas de ✓
   d. 52 pulgadas de

9. Pasamanos y barandas de un sistema de barandas de
   escalera deben poder aguantar una fuerza de _____
   cuando se la plica dentro de 2 pulgadas del filo superior:
   a. 100 libras
   b. 150 libras
   c. 200 libras ✓
   d. 250 libras

10. Antes de usar una escalera de mano o escalera usted
    debiera saber cómo:
    a. Reconocer los peligros
    b. El uso, el lugar o el cuidado del equipo
    c. Encontrar la capacidad máxima de carga
    d. Todo lo de arriba ✓

BLOQUEO/ROTULACIÓN: CONTROL DE ENERGIA PELIGROSA

La reparación, mantenimiento, o servicio de equipo o circuitos energizados eléctricamente es el momento principal cuando los trabajadores sufren lesiones graves. Lesiones pueden ocurrir si el equipo arranca sin que se espere, o los circuitos continúan conduciendo electricidad durante un trabajo de reparación. Los procedimientos de bloqueo y rotulación previenen la liberación accidental de energía peligrosa y le permite que haga el trabajo sin que arriesgue su vida.

Ejemplos de bloqueo/rotulación

Procedimientos de bloqueo y rotulación se usan en maquinaria o equipo que pudiera moverse durante su limpieza, servicio, ajuste, o instalación de operación. Este movimiento puede resultar de una conexión a una fuente de energía que incluye fuentes eléctricas, mecánicas, neumáticas, hidráulicas y térmicas. O, puede resultar de energía residual o almacenada en el equipo.

OSHA dice

OSHA regula los procedimientos de bloqueo/rotulación en 29 CFR 1926.417, Bloqueo y Rotulación de Circuitos. Eso es parte de la sección eléctrica de los estándares de construcción. Los procedimientos de bloqueo/rotulación se pueden también encontrar en 29 CFR 1926.702, Requisitos para Equipo y Herramientas (Construcción de Hormigón y Masonería).

¿Qué es bloqueo/rotulación?

Bloqueo es el proceso de apagar y bloquear el flujo de energía de una fuente de poder a algún equipo o circuito, y de mantenerla bloqueada.

Se consigue el bloqueo instalando un aparato de bloqueo en la fuente de energía de manera que el equipo que recibe potencia de esa fuente, no pueda ser operado. Un aparato de bloqueo es un candado, un bloque, o una cadena que mantiene el interruptor, válvula o palanca en la posición apagada.

Su empresa suministra los bloqueos o candados y estos deben usarse solamente para propósitos de bloqueo. Nunca use estos candados en cajas de herramientas, armarios de almacenaje, u otros dispositivos.

Rotulación es el poner una etiqueta o rótulo en la fuente de energía. La etiqueta actúa como una advertencia de no restaurar la energía; — no es una restricción física. Las etiquetas deben decir claramente, "DO NOT OPERATE OR REMOVE THIS TAG (NO OPERE O QUITE ESTA ETIQUETA)" o algo parecido, y deben ser instaladas a mano.

Ambos candados o bloqueos y etiquetas, deben ser lo suficientemente fuertes como para evitar su remoción sin autorización y para aguantar varias condiciones del medio ambiente.

¿Qué es lo que debe bloquearse o rotularse?

Un bloqueo y una etiqueta deben ser instalados en cada mango, disyuntor, botón de oprimir, o aparatos similares que se usan para quitar la energía a equipo eléctrico cuando se estén haciendo reparaciones o mantenimiento.

En general, todas las fuentes de energía que pueden ser bloqueadas, deben ser bloqueadas cuando se les da servicio o mantenimiento. Sin embargo, no se pueden usar defensas o dispositivos de ínter bloqueo como substitutos para los bloqueos cuando se dé un servicio mayor.

Las reglas de OSHA requieren que su empresa:

- Mantenga una copia escrita de los procedimientos de bloqueo/rotulación y que estos le sean disponibles a usted;

- Le informe en cómo reconocer y evitar condiciones peligrosas que requieran bloqueo y/o rotulación; e

- Informarle de las reglas de bloqueo/rotulación de OSHA que aplican a su trabajo.

Controlando fuentes de energía

Una gran variedad de fuentes de energía requieren bloqueo / rotulación para protegerlo de la liberación de energía peligrosa. Algunas de estas fuentes de energía incluyen: eléctrica, mecánica, neumática, hidráulica, química, y térmica.

Algunos de los problemas causados por la liberación accidental de energía
peligrosa son:

- Arranques
  accidentales,

- Descarga eléc-
  trica, y

- La liberación de
  energía almace-
  nada, residual o
  potencial.

Estos accidentes
ocurren a menudo
cuando alguien pasa por un lado algo durante el servicio de
maquinaria, o cuando los trabajadores no conocen el equipo,
o no entienden los procedimientos de bloqueo/rotulación para
el trabajo.

Procedimientos de bloqueo/rotulación

Aunque a bloqueo/rotulación se lo menciona específicamente
en las regulaciones de construcción sólo en pocos capítulos,
estos procedimientos aplican a todas las situaciones de
bloqueo/rotulación eléctricas y mecánicas en su lugar de trabajo.

Bloqueo/rotulación para equipo eléctrico

Cuando quiera que se desactive equipo eléctrico para reparación, o se apaguen los circuitos, se debe rotular al equipo
"DO NOT START (NO SE ARRANQUE)" o rotulado con palabras similares en el lugar donde se lo puede volver a
encender. Esto se hace como una advertencia a quienquiera
que esté haciendo trabajo de mantenimiento.

Se debe seguir el procedimiento que se indica aquí, en el
orden que se lo da, para cumplir con bloqueo y rotulación.

Prepararse para apagar

Antes de que la persona capacitada apague el circuito o
equipo, el empleado tiene que saber el tipo y magnitud de la
energía, los peligros de la energía a controlarse, y el método

o medidas para controlarlos. Personas capacitadas son aquéllas que por educación o situación profesional, o quienes, por conocimiento extenso, entrenamiento, y experiencia han demostrado exitosamente su habilidad para resolver problemas que se relacionan con el asunto a mano, el trabajo, o el proyecto.

Apagar el equipo

Si usted es una persona capacitada debe seguir las instrucciones normales para apagar el equipo. Hay que apagarlo ordenadamente para evitar cualesquiera riesgos incrementados a los empleados como resultado de haber apagado el equipo.

Aislamiento del equipo

Todos los dispositivos para aislar que se necesiten para controlar la energía a la máquina o equipo deben ser localizados y operados físicamente de tal manera que se aísle la máquina o equipo de la fuente de energía.

Desconecte los circuitos o equipo que requiera trabajo de todas las fuentes de energía. Recuerde:

- No use aparatos de control de circuito tales como botones de oprimir, interruptores selectores, e ínter bloqueo como la única manera para quitar la energía de los circuitos o equipo.

- No use ínter bloqueos para equipo eléctrico como un substituto para los procedimientos de bloqueo y rotulación.

Aplicación de bloqueo y etiquetas

- Ponga un bloqueo y etiqueta en cada una de las medidas de desconexión, (interruptores y disyuntores) que se usan para quitar la energía al equipo y a los circuitos, en los cuales se va hacer alguna tarea.

  Si no se puede poner un bloqueo, o su empresa puede demostrar que la rotulación dará un nivel de seguridad equivalente al que se tendría con un bloqueo, entonces se puede usar una etiqueta o rótulo sin el bloqueo.

- A la etiqueta que se usa sin un bloqueo debe acompañarle por lo menos otra medida de seguridad que proporciona un nivel de seguridad igual que el de un bloqueo. Los ejemplos incluyen: la remoción de un circuito de aislamiento, el bloqueo de un interruptor de control, o la abertura de un aparato adicional de desconexión.

- A un candado se lo puede usar sin una etiqueta cuando todas las siguientes condiciones existan: (1) solamente se está quitando la energía a un circuito o porción de un equipo; y (2) el periodo de bloqueo no se extiende más allá del turno actual de trabajo; y (3) los empleados expuestos a los peligros asociados con el retorno de la reactivación de energía al equipo o circuito, están familiarizados con el procedimiento.

- Sujete el bloqueo o candado de tal manera que otros no puedan abrir el interruptor a no ser que tengan que usar fuerza excesiva o herramientas.

- Asegúrese que cada etiqueta tenga una declaración que prohiba la operación, sin autorización, del interruptor y la remoción de la etiqueta.

Cada bloqueo y rótulo tiene que ser quitado por el empleado que lo aplicó, o bajo su supervisión. Si este empleado está ausente, su bloqueo o rótulo puede ser quitado por una persona capacitada, mientras que:

- El empleador garantiza que el empleado que aplicó el bloquo o rótulo no está disponible en el lugar de trabajo y

- Hay una determinación visual que todos los empleado estén lejos de lo circuitos o equipo.

Energia almacenada

Siguiendo la aplicación de dispositivos de bloqueo o rotulación a los dispositivos que aíslan la energía, toda la energía potencial peligrosa debe ser quitada, desconectada, restringida o, de otra manera, hacerla segura.

Quite la energía almacenada en cosas como capacitadores.

Verificación del aislamiento

Antes de comenzar trabajo en equipo o circuitos que han sido bloqueados o rotulados, el empleado capacitado debe verificar que el aislamiento y la remoción de la energía de la máquina o equipo ha sido realizada.

Específicamente, una persona capacitada debe:

- Operar los controles del equipo, o de otra manera verificar que el equipo no tiene energía, y

- Usar equipo de prueba para garantizar que el equipo no tiene energía.

Liberación de bloqueo o rotulación

Antes que los dispositivos de bloqueo y rotulación sean quitados, y se restaure la energía a la máquina o equipo, se debe seguir procedimientos y acciones tomadas por el empleado capacitado para garantizar lo siguiente:

- Se debe inspeccionar el área de trabajo para asegurar que se hayan quitado todas las herramientas, puentes eléctricos y otros artículos no esenciales y que todos los componentes del equipo estén intactos operacionalmente.

- Se debe chequear el área de trabajo para garantizar que todos los empleados hayan sido alejados y puestos en una posición segura.

- Después de que los dispositivos de bloqueo o rotulación han sido quitados, y antes de volver a arrancar la máquina o equipo, se debe notificar a los empleados afectados que los dispositivos de bloqueo o rotulación han sido quitados.

Entonces usted puede arrancar el equipo según los procedimientos indicados aquí y en las regulaciones de construcción de OSHA.

Bloqueo/rotulación de equipo mecánico

Es imposible dar mantenimiento o reparación a equipo mecánico como compresores, mezcladoras, o bombas, que se usan en las actividades de construcción de hormigón y masonería, donde la operación accidental pudiera resultar en lesiones.

Otros asuntos

Otros asuntos que tienen que ser resueltos por el programa de bloqueo/rotulación de su empresa incluyen:

- **Contratistas externos** — Si su empresa actúa como un contratista externo, se la debe informar acerca de los procedimientos de bloqueo/rotulación de la compañía anfitriona. De esta manera usted entenderá el significado de bloqueo/rotulación cuando se encuentre con éste mientras esté trabajando. La compañía anfitriona debe estar consciente de los procedimientos suyos de manera que pueda informar a sus propios empleados del significado de los procedimientos que son parte del programa suyo.

* **Cambios de personal** — En general, si hay una máquina que ha sido bloqueada durante el cambio de personal, la persona que comenzó el trabajo tiene que aplicar su bloqueo o candado antes que el empleado que esté saliendo de la obra pueda quitar el suyo/suya. Este procedimiento asegura que la protección brindada por el bloqueo y rotulación se continúe manteniendo.

* **Fuentes de energía que no pueden ser bloqueadas** — En casos poco comunes, no se puede físicamente bloquear a una fuente de energía. Discuta esta situación con su supervisor para averiguar si se puede usar sólo rotulación, con seguridad. Hay unas pocas situaciones donde se permite la rotulación por si sola.

Trabajando con el propósito de trabajar con seguridad

Siempre siga los procedimientos de bloqueo/rotulación durante servicio o mantenimiento de máquinas, y donde el arranque inesperado del equipo podría lesionarle a usted o a un compañero. Cuando usted dé servicio o reparación a equipo eléctrico, siempre bloquee y rotule las fuentes de energía y los interruptores. Tome en cuenta o deje allí cualquier candado, bloqueo o rotulación de otros empleados, y sepa su papel como empleado autorizado. El prestar atención, y respetar el programa de bloqueo y rotulación de su compañía, hará su lugar de trabajo más seguro para usted y para sus compañeros.

NOTES

REPASO DE BLOQUEO/ROTULACIÓN

1. Una fuente de energía que requiere bloqueo/rotulación es:
   a. Mecánica
   b. Eléctrica
   c. Hidráulica
   d. Todo lo de arriba

2. Se debe usar dispositivos de bloqueo en:
   a. Cajas de herramientas
   b. Cobertizos de almacenaje
   c. Fuentes de energía
   d. Otros aparatos

3. Un rótulo actúa como:
   a. Un dispositivo de bloqueo
   b. Un dispositivo de advertencia
   c. Un dispositivo de cerradura
   d. Todo lo de arriba

4. Se completa el bloqueo de equipo cuando:
   a. Una fuente de energía está bloqueada
   b. Dos fuentes de energía están bloqueadas
   c. Tres fuentes de energía están bloqueadas
   d. Todas las fuentes de energía que pueden ser bloqueadas, han sido bloqueadas

5. Una liberación accidental de energía peligrosa pudiera causar:
   a. Arranque accidental
   b. Descarga eléctrica
   c. Liberación de energía almacenada
   d. Todo lo de arriba

6. El primer paso en conseguir bloqueo/rotulación es:
   a. Prepararse para apagarlo
   b. Aplicar bloqueos y rotulación
   c. Verificar aislamiento
   d. Liberar energía almacenada

7. Después de dar servicio a equipo eléctrico o mecánico, usted debiera primero:
   a. Quitar el bloqueo si usted lo aplicó
   b. Reemplazar todas las defensas de la máquina
   c. Volver a conectar todas las fuentes de energía
   d. Quitar el rótulo, si lo aplicó

8. Una persona quien es, por razón de educación o posición profesional o, quien, por razón de conocimiento extenso, entrenamiento, y experiencia ha demostrado exitosamente su habilidad para resolver problemas, se llama:
   a. Una persona competente
   b. Una persona capacitada
   c. Contratista
   d. Supervisor del lugar

9. Si el empleado que aplicó el bloqueo y rótulo está ausente, éstos pudieran ser quitados por:
   a. Otros empleados
   b. Persona competente
   c. Persona capacitada
   d. Ninguno de los de arriba

10. Si su compañía actúa como un contratista externo, se le debe informar de:
    a. Los objetivos de la compañía
    b. Significado de los bloqueos o rótulos
    c. Procedimientos de bloqueo/rotulación
    d. b y c

MANEJO Y ALMACENAJE DE MATERIALES: MOVIENDO TIERRA Y MATERIALES

En construcción el manejo y almacenaje de materiales incluye diferentes operaciones, como, izar toneladas de acero con una grúa, manejar un camión lleno de bloques de concreto, llevar bolsas o materiales manualmente , y amontonar ladrillos en paletas y otros materiales como tambores, barriles, recipientes y maderos.

Ya sea moviendo materiales manualmente o mecánicamente, aplicando principios de seguridad generales, como técnicas para el uso apropiado de equipo y controles, y práctica segura de trabajo, pueden hacer la diferencia entre situaciones de vida o muerte. Peligros de caerse, ser golpeado, o aplastado, son unos pocos de los peligros que empleados confrontan cuando se trata del manejo y almacenaje de materiales, especialmente el uso de equipo mecánico pesado en el lugar de trabajo. Los empleadores y empleados deben examinar el entorno de trabajo para detectar toda condición, prácticas o de equipo y tomar acciones correctoras antes de que alguien sea lesionado o muerto.

Ejemplos de equipo que maneja lo materiales

OSHA divide el equipo mecánico para manejar las materiales en dos grupos:

Equipo para mover tierra — Principalmente, estos mueven la tierra, pero algunos pueden funcionar como transportadores de materiales. Los ejemplos incluyen moto niveladores, cargadores, escarificadores, orugas aplanadoras, tractores de rueda, camiones de fuera de carretera, aplanadoras, tractores agrícolas e industriales, y equipo similar.

Equipo para levantar y acarrear — Principalmente, estos mueven materias primas al rededor del sitio de trabajo. Los ejemplos incluyen camiones de levantar, amontonadores, montacargas, y otros vehículos de fuerza industrial, manipuladores, helicópteros, y equipo similar.

Hemos decidido también cubrir:

Equipo de aparejar con eslingas — Que se usa con grúas, levantadores, y otro equipo de eslingar para mover los materiales en los lugares de trabajo.

OSHA dice

Las regulaciones de OSHA para el manejo y almacenaje de materiales están regadas por todo 29 CFR 1926:

29 CFR 1926	Nombre
.20	Provisiones Generales de Salud y Seguridad
.250 -.252	Manejo, Almacenaje, Uso, y Desecho de Materiales
.550 -.556	Grúas, Torres de Perforación, Levantadores, Elevadores, y Bandas Transportadoras
.600 -.606	Vehículos a Motor, Equipo Mecanizado, y Operaciones Marinas
.1000 -.1003	Estructuras que Protegen contra el Volcarse; Protección Encima de la Cabeza

Inspecciones de equipo

Su seguridad con el equipo depende en las inspecciones mecánicas. Se requiere que el equipo sea inspeccionado antes de comenzar el turno de trabajo; de esa manera, si se encuentra algo mal, se lo puede reportar a su supervisor y evitar accidentes potenciales.

Inspección pre-operacional

Muchas cosas pueden hacer peligroso al equipo. Por esta razón, una vuelta al rededor del equipo (antes del turno o jornada) es importante. Uno siempre debería hacer una inspección previa a la operación del equipo que se va a usar. La inspección podría incluir verificación de lo siguiente:

- Escaleras de acceso, peldaños, pasamanos, y sostenes para asegurar que estén bien agarrados y en buena condición;

- Superficies de caminar o pisar asegurándose que estén libres de sin desorden, basura y sustancias resbalosas, y que las superficies contra resbalones, si éstas se requieren, estén en buena condición;

- Que los frenos y embrague (cloch) estén bien ajustados y operables;

- Los mecanismos de control, cuerdas de alambre, aparatos eléctricos, condiciones del suelo, aparatos de seguridad y ayudas operacionales en grúas asegurándose que se corrijan las deficiencias antes de su operación.

- Todas las líneas de distribución y transmisión, para asegurarse que no tengan energía y estén conectadas visiblemente a tierra y que se instalen barreras de aislamiento para prevenir contacto físico con las líneas y que se sigan los despejes requeridos por OSHA;

- Que las barricadas estén fijadas para proteger a los empleados de ser golpeados y aplastados por el equipo;

- Lllantas, mangueras, correas, y cables para asegurarse que estén en la condición apropiada;

- Levantadores, amontonadores, grúas y montacargas para estar seguro que sus capacidades estén claramente exhibidas;

- Que los mástiles y puntas del montacargas estén en buena condición; y

- Asegurarse que las selecciones de componentes y configuraciones de equipo cumplan con las especificaciones e instrucciones del fabricante.

Inspección de la cabina

Usted debería examinar la cabina antes de arrancar su equipo para asegurarse que:

- Las cerraduras de las puertas funcionen y las puertas puedan ser abiertas de adentro o de afuera;

- La suspensión del asiento opere en forma apropiada;

- Haya cinturones de seguridad;

- El ajuste para adelante y para atrás, los compensadores de peso, y otras características de ajuste funcionen de manera apropiada;

- Los vehículos para transportar empleados tengan el asiento bien conjuntado, para cada pasajero;

- Haya un extintor (extinguidor) de fuego apropiado, de presión completa, y accesible;

- El campo de su vista no esté obstruido;

- Rótulos o pancartas apropiadas se exhiban, si esto se requiere;

- Una tabla de capacidad de carga esté disponible, si se requiere;

- Los rótulos y las pegatinas de advertencia sean legibles; y

- Todas las máquinas bi-direccionales, tales como rodillos, compactadores, cargadores de adelante, tractores, estén equipados con un claxon audible, cuyo sonido se distinga del resto del ruido de la construcción.

Después de arrancar, verifique que todos los medidores y luces de advertencia muestren sus lecturas normales. Opere todos los controles para asegurarse que estén funcionando de forma apropiada.

La lista de inspección arriba, no cubre todo. Asegúrese que siga la lista de verificación proporcionada por su empresa y/o el fabricante del equipo.

Inspección de aparejos de eslingar

Las eslingas pueden ser mortales si están sobrecargadas, si se les permite deteriorar, o no se las inspecciona de forma regular. Es posible que usted tenga responsabilidades acerca de este tipo de inspección y pruebas. Por lo menos, aprenda a reconocer las eslingas peligrosas. Si encuentra una, no la use.

OSHA define la persona competente o capacitada como "la que es capaz de identificar peligros existentes y previsibles en los alrededores, o condiciones de trabajo que sean no sanitarias, peligrosas o riesgosas a empleados, y la que tiene la autorización para tomar medidas correctoras rápidas, para eliminarlas."

Por lo menos, aprenda a reconocer eslingas peligrosas. Si encuentra una, no la use.

Procesos comunes para conectar a tierra

Métodos comunes de conectar a tierra, que OSHA recomienda en Subparte O, Vehículos Motorizados, Equipo Mecánico, y Operaciones Marinas, para trabajar cerca de una carga eléctrica, incluyen:

- Que el equipo tenga una conexión eléctrica directa a tierra desde la estructura rotativa que sostiene el aguilón; y

- Que los cables para hacer puente con la tierra deben estar sujetados a los materiales que maneja el equipo con el aguilón, cuando una carga eléctrica sea inducida mientras se trabaja cerca de transmisores energizados. Se debe suministrar a las cuadrillas con postes que no conduzcan que tengan conectadores tipo lagarto, u otra protección similar, para conectar el cable de tierra a la carga.

Es importante entender que el trabajo que está realizándose cerca de torres de transmisión o alambres eléctricos, cuando pueda inducirse una carga eléctrica al equipo o materiales que se están manejando, requiere medidas precaucionarías que se realicen para disipar estos voltajes inducidos antes de que se lleve a cabo el trabajo. La clave es estar consciente de las limitaciones de conexión a tierra que identifica su empleador.

Montándose y desmontándose del equipo

Muchos días de trabajo se pierden a razón de resbalones, tropezones, y caídas ya sea sobre, y desde el equipo pesado. Sin embargo, hay maneras apropiadas para treparse, entrar y salir de cabinas y asientos, y para bajarse y desmontar del equipo.

Usted debería:

- Siempre usar los sostenes de mano, encarar la escalera o peldaños y mantener tres puntos de contacto (dos pies y una mano, o un pie y dos manos) todo el tiempo;

- Siempre use las superficies contra resbalones para trepar o pararse; y

- Nunca salte desde y hacia las escaleras, peldaños o pasillos.

Operando el equipo

No importa si usted es un operador del equipo, un guía, o alguien que está trabajando cerca de operaciones de manejo de materiales y almacenaje, usted debe siempre estar consciente de lo que está pasando y saber donde están los otros trabajadores durante todo el tiempo que usted esté trabajando. Nunca permita que otros pidan

un aventón o viajen en el equipo que está usando a no ser que hayan sido autorizados y hay un asiento específicamente para esto. Solamente opere el equipo si es calificado por razón de entrenamiento o experiencia y ha sido designado por su empleador para operar ese tipo de equipo. Nunca estacione dentro del espacio que esté fuera de vista de otro vehículo.

Equipo para mover la tierra

La siguiente lista da reglas generales para la operación de equipo para mover tierra:

- Asegúrese que los frenos puedan detener y sostener el equipo cuando esté totalmente cargado;

- Durante operación normal, resguarde todos los puntos peligrosos de tijera de los cargadores de acción frontal;

- No conduzca equipo o vehículos dentro de ningún camino o inclinación de acceso, a no ser que el sendero o inclinación del mismo haya sido hecho específicamente para el equipo o vehículo involucrado aquí;

- Asegúrese que cualquier rampa de acceso de emergencia y berma haya sido construida para restringir y controlar vehículos sin frenos;

- Use los cinturones de seguridad cuando estos estén disponibles; y

- Opere el claxon (bocina) cuantas veces sea necesario cuando la máquina está moviéndose en cualquier dirección.

Levantando y acarreando equipo

Aquí están algunas de las reglas generales para levantar y acarrear equipo:

- Manténgase lejos de cargas que estén siendo levantadas y suspendidas;

- No exceda las capacidades nominales; y

- Baje completamente cualquier medida para conjuntarse a la carga, neutralice los controles, y fije los frenos para evitar movimiento, cuando usted vaya a dejar al equipo solo (el operador está a 25 o más pies de distancia del equipo).

Grúas

La grúa, un tipo de equipo para levantar y acarrear, tiene sus requerimientos específicos además de los generales que se han cubierto previamente: Esto estará cubierto en el capítulo de grúas y cabrias en este libro.

Montacargas

El manejo un montacargas de construcción es fundamentalmente diferente del manejo de automóviles o camiones. Los montacargas tienden a ser dirigidos con más facilidad cuando están cargados y se los maneja dando marcha atrás, tantas veces como yendo hacia adelante. En forma diferente que los automóviles, los montacargas tienen gran estabilidad para operaciones en  tierra, lodo, nieve, y subiendo y descendiendo cuestas e inclinaciones. Sin embargo, los montacargas tienen una posibilidad más grande de volcarse cuando se los cambia de dirección súbitamente o cuando se está llevando cargas.

Otra diferencia con los montacargas en el lugar de trabajo es que pueden tener diferente manera de dirigirlos. Su montacargas puede tener dirección de cuatro ruedas, de ruedas delanteras, o de ruedas traseras. También se los puede manejar bloqueando uno de los juegos de ruedas. Sepa los requerimientos del fabricante y sígalos.

Aunque son fundamentalmente diferentes de los automóviles, los montacargas, *tal como* los automóviles pueden tener choques contra objetos y personas. Use su cinturón de seguridad y siga estas reglas para evitar choques:

- Manténgase alerta;

- Vaya más despacio y use el claxon o bocina en las esquinas;

- Vaya más despacio sobre superficies resbalosas y observe que no hayan lugares con aceite o grasa;

- Si no puede ver adelante de su carga en la parte frontal del montacargas, viaje en marcha atrás con cuidado o no proceda sin tener una persona de señalización;
- Mire en la dirección del avance;
- Familiarícese con las especificaciones de rendimiento del fabricante para el montacargas;
- Siga los procedimientos del fabricante para manejar la inclinación de las puntas (este procedimiento difiere de acuerdo al tipo de montacargas);
- Sepa la capacidad de freno (distancia para detenerse, máxima inclinación de avance, y la información sobre la relación entre cambios/inclinación del sendero);
- Sepa cómo funciona el tráfico en ese lugar; y
- Dé el derecho de paso a peatones y vehículos de emergencia.

Los montacargas tiene cierta capacidad para levantar. Verifique la placa que muestra la capacidad nominal para la carga de su montacargas. Cada fabricante muestra una placa de identificación en cada montacargas que fabrica.

Es necesario tener cuidado especial con las cargas para que no se caigan. Para evitar que la carga se voltee o caiga, haga lo siguiente:

Mientras levanta la carga:

- Levante sólo el peso que su montacargas pueda manejar con facilidad,
- Bloquee o acuñe las ruedas del camión de entrega cuando esté cargándolo o descargándolo,
- Use el sistema de puntas que concuerdan con el tipo de carga,
- Coloque la parte más pesada de la carga más cerca del respaldo de las puntas,
- Empuje las puntas u otras medidas de cargar lo más que se pueda debajo de la carga,
- Sostenga y centre la carga de manera que no se caiga hacia adelante o hacia un lado,

- Maneje cargas que pesan más a un lado que otro con precaución, y

- Amarre cargas inestables.

Mientras lleve la carga:

- No trate de acarrear cargas con paletas rotas,

- Incline el mástil hacia atrás para estabilizar la carga antes de moverse,

- Viaje con la carga al punto más bajo, y

- Levante y baje la carga solamente cuando el montacargas esté totalmente detenido.

La mayoría de los montacargas operan con combustibles que son altamente inflamables y tienen ácido de batería. Algunos montacargas acarrean materiales inflamables y peligrosos. Algunas compañías tienen áreas de almacenamiento para químicos inflamables y combustibles. Por estas razones, use las siguientes precauciones:

- Nunca fume en los lugares donde está el combustible, cerca del combustible, y cargas combustibles, o mientras esté cambiando la batería;

- Evite llamas abiertas, chispas, o arcos eléctricos mientras esté rellenando el combustible, manejando cargas inflamables y combustibles y cargando la batería; y

- Nunca llene combustible en un montacargas que tenga el motor funcionando.

Los montacargas impulsados por motores de gasolina tienen escapes de monóxido de carbono mortal. Solamente conduzca este tipo de montacargas en áreas bien ventiladas.

Como se usa a los montacargas cerca de los peatones, es importante para ambos, el peatón y el operador del montacargas el cuidar el uno al otro. Aunque el operador del montacargas debe dar el derecho de paso al peatón, él, o ella, (el operador) no puede llevar pasajeros en ningún montacargas, jugar bruscamente al rededor del montacargas o permitir que los peatones pasen debajo de la carga.

Equipo de aparejar, (eslingas)

Las eslingas de aparejos son una parte integral del manejo de materiales. Para su protección, las eslingas:

- No deben ser cargadas en exceso de su carga nominal segura;

- Deben tener las cargas equilibradas para prevenir que haya deslices o cambio de posición de la canasta de acarreo;

- No pueden ser hechas más cortas por medio de nudos, pernos, u otros aparatos;

- No deben de usarse con patas de aparejo que hayan sido torcidas o pinchadas; y

- Deben ser protegidas con cojines o muelles de los filos agudos de la carga.

El mantener las eslingas en buena condición es también importante. Cuando no se las use, llévelas del área inmediata de manera que:

- Se protejan de riesgos como tierra, aceite, y grasa;

- No se conviertan en un peligro de tropezones o vaivén; y

- No sean atropelladas o pisadas por el tráfico de la construcción.

Otras reglas de seguridad para eslingas incluyen:

- Nunca ponga manos o dedos entre la eslinga y su carga cuando se esté apretando el aparejo a la carga.

- Mantenga las cargas suspendidas lejos de cualquier obstrucción.

- Evite movimientos bruscos cuando esté moviendo la carga.

- Asegúrese que nadie esté cerca de la carga que va a ser levantada o suspendida. Use cuerdas de manejo cuando sea necesario.

- Nunca "sacuda" la carga.

Obstáculos encima de la cabeza

Objetos que caen

Protéjase usted mismo de objetos que caigan por medio de:

- Uso de su casco;

- Bloqueo y sostén del equipo que esté suspendido o colgado de eslingas, grúas, o gatos; y

- Bajar completamente o bloquear el equipo cuando se esté reparando o se haya dejado de usarlo. Todos los controles deben estar en neutro, con el motor apagado y los frenos fijados, a no ser que el trabajo que se esté haciendo lo requiera de otra manera.

Alambres eléctricos encima

El contacto entre equipo de manejar carga grande y alambres eléctricos encima es una causa principal de las lesiones mortales ocupacionales en los Estados Unidos.

Se debe considerar cualquier alambre encima como si tuviera energía a no ser, o hasta después de que la persona que es dueña del cable eléctrico o las autoridades de la compañía de luz indiquen que no tiene energía, o que se le ha conectado visiblemente a tierra. OSHA permite tres métodos de proteger a los operadores de equipo del contacto con cables eléctricos encima:

- Quite la energía de los cables o conéctelos visiblemente a tierra en el lugar en donde se está trabajándo;

- Erija barreras aislantes, que no sean parte o estén conjuntadas al equipo que se esté operando; y

- Opere el equipo o máquinas de acuerdo a las distancias requeridas entre los cables eléctricos y parte del equipo. Cuando esté operando cerca de los alambres eléctricos, el claro mínimo entre las líneas y el equipo o carga debe ser:

Voltaje	Claro Mínimo
50 kV o menos	10 pies
Sobre 50 kV	10 pies más 0,4 pulgadas por cada 1 kV sobre 50 kV, o dos veces la distancia del aislador de los alambres pero nunca menos de 10 pies

La distancia de acción para grúas, bajo la nueva regla, es 20 pies para líneas de hasta 350kV, o 50 pies para líneas de 350 kV la cual accionará requisitos para acción adicional.

Cuando esté moviéndose sin carga y la pluma esté abajo, los claros al equipo deben ser:

Voltaje	Claro Mínimo
Menos de 50 kV	4 pies
Más de 50 kV hasta e incluyendo 345 kV	10 pies
Más de 345 kV hasta e incluyendo 750 kV	16 pies

Un "observador" debe cerciorarse del límite de claro para el equipo y dar una advertencia a tiempo para todas las operaciones, cuando es dificultoso para el operador el mantener el claro de manera visual.

Mantenimiento y reparación

No opere ningún equipo o eslinga con deficiencias o partes o piezas defectuosas. Si descubre equipo o eslingas defectuosas o averiadas, inmediatamente sáquelas de servicio y rotúlelas como averiadas o defectuosas, inmediatamente sáquelos de servicio, rotúlelos como averiados o defectuosos. Aunque OSHA permite medidas alternas temporarias en algunos componentes, una persona capacitada tendrá que hacer su determinación. No use el equipo hasta que esté en la condición apropiada.

No se pueden hacer modificaciones o adiciones que afectan la capacidad o la operación segura del equipo sin la aprobación escrita del fabricante o en algunos casos, una persona capacitada o un ingeniero registrado y profesional haya inspeccionado y aprobado el uso del equipo. No se puede reducir el factor de seguridad original del equipo.

Almacenaje

Es vital para cualquier proyecto tener movimiento y almacenaje de materiales, y el suministrar un flujo continuo de materia prima y piezas. Para almacenar se requiere acarreo de materiales, amontonamiento, y levantamiento de materiales y otras actividades peligrosas. Uno puede ser lesionado por materiales que se hayan levantado de manera impropia, (por máquina o manualmente), objetos que caen y provisiones mal amontonadas.

Trate de apilar, poner en estantes, bloquear, interconectar, o de otra manera, asegurar todos los materiales almacenados para evitar que se caigan, resbalen, o derrumben. Si se está almacenando a una altura más alta que el nivel del piso, verifique para determinar los límites máximos para carga segura (en libras por pie cuadrado) para el área específica de almacenaje. La mayoría de los límites de carga para esas áreas estarán rotulados. Si no lo están, averígüelo. No exceda los límites máximos de carga segura.

Hay un par de requerimientos de distancia para almacenaje:

No almacene materiales dentro	de
6 pies	Cualquiera abertura del cable de una grúa o abertura de piso interior.
10 pies	Cualquier pared exterior que no se extienda más arriba del material almacenado.

Los tipos específicos de almacenaje también tienen requeri-mientos:

Material almacenado	Requerimiento
Ladrillos	No los amontone en exceso de 7 pies. Si hay una pila de ladrillos sin amarrar que exceda más de 4 pies, desplácese del filo 2 pulgadas por cada pie de montón en exceso de 4 pies.
Bloques de masonería	Si están amontonados más de 6 pies, desplácese hacia atrás medio bloque por fila encima del nivel de 6 pies.
Maderos	Saque todos los clavos antes de amontonarlos. Amontónelos de manera que el montón esté estable y se auto sostenga. No amontone maderos sobre la altura de 20 pies. Si usted está manejando maderos a mano, no los amontone más de 16 pies.
Acero estructural, postes, tubos, barras, y otros materiales cilíndricos	Amontónelos y bloquéelos para evitar que se extiendan o se inclinen, a no ser que los ponga en estantes.

Mantenga las áreas de almacenaje sin acumulación de materiales que constituyan peligro de tropezones, fuego, explosión, o dejen espacio para plagas. Esto incluye manteniendo los pasillos y controlando la vegetación. No almacene materiales en andamios o lugares de paso a no ser que deban estar allí para proyectos inmediatos. Y por último, segregue los materiales que no son compatibles cuando los almacene.

Trabaje con el propósito de trabajar con seguridad

El manejo de materiales y el equipo para almacenamiento son factores primordiales en la industria de construcción. Sin embargo pueden posar peligros cuando no se los opera o se los mantiene de una forma apropiada. Sepa su equipo, esté consciente de otro equipo al rededor suyo, y siga las pautas de almacenamiento de su empresa.

NOTES

Empleado _____
Instructor _____
Fecha _____
Compañía _____

REPASO SOBRE EL MANEJO DE MATERIALES

1. Se debe llevar a cabo una inspección antes de la operación:
   a. Antes su turno
   b. Después su turno
   c. En equipo que se comprará
   d. Todo lo de arriba

2. Inspecciones en la cabina debiera incluir un examen de:
   a. Los cinturones de seguridad
   b. Rótulos y pegatinas de advertencia
   c. Campo de visión
   d. Todo lo de arriba

3. Una manera común de hacer tierra cuando se trabaja cerca de una carga eléctrica, incluye el sujetar alambres puentes al:
   a. A la superestructura que tiene rotación
   b. La carga
   c. La pluma o aguilón
   d. Todo lo de arriba

4. Una persona que es capaz de identificar peligros existentes y predecibles y que tiene autorización para tomar medidas prontas correctivas para eliminarlos se conoce como:
   a. Una persona autorizada
   b. Una persona competente
   c. Un supervisor
   d. Un gerente de seguridad

5. Cuando se sube a la cabina de equipo pesado usted debería:
   a. Usar pasamanos
   b. Encarar la escalera
   c. Mantener 3 puntos de contacto
   d. Todo lo de arriba

6. Solamente opere equipo de manejar materiales si usted está:
   a. Sin entrenamiento
   b. Sin experiencia
   c. Designado por su empleador
   d. Todo lo de arriba

7. Mientras lleva una carga con montacargas debería:
   a. Avanzar con la carga levantada
   b. Avanzar con la carga baja
   c. Levantar y bajar la carga durante su avance
   d. Todo lo de arriba

8. El claro o despeje mínimo entre líneas de potencia con voltajes más de 50 kV y equipo debería ser:
   a. 16 pies
   b. 10 pies más 0,4 pulgadas por cada 1kV sobre 50kV
   c. 20 pies
   d. 50 pies

9. Para protegerse de objetos que caigan, usted debería usar:
   a. Casco
   b. Equipo con jaula
   c. Equipo de bloqueo
   d. Todo lo de arriba

10. Cuando almacene los materiales, no los almacene dentro de _____ de una abertura interna del piso.
    a. 3 pies
    b. 6 pies
    c. 10 pies
    d. 20 pies

VEHÍCULOS A MOTOR: YENDO DE AQUÍ A ALLÁ

La variedad de actividades que se hace en los sitios de trabajo, al igual que el tipo de equipo que se usa, naturalmente crea entornos de trabajo peligrosos y cuando se añade vehículos a motor a esto, este entorno se vuelve aún más peligroso para los trabajadores. Sin embargo, peligroso no significa que no se puede proteger a los empleados. La inspección y operación apropiada de los vehículos pueden contribuir a hacer que su sitio de trabajo sea un sitio seguro para trabajar.

Los ejemplos de vehículos a motor

Los vehículos a motor son parte del equipo que opera en un lugar de trabajo, o se usa para transportar materiales, equipo y trabadores tales como volquetes, camiones de carrocería plana y camionetas (trocas)

OSHA dice

Según a OSHA las Regulaciones Generales de Salud y Seguridad, sólo se debería permitir la operación de equipo y maquinaria a los empleados capacitados por medio de entrenamiento y experiencia. Esto se encuentra en 29 CFR 1926.20.

También hay requerimientos de seguridad para el conductor, o chofer, su vehículo, y su carga, que se encuentran en las regulaciones del Departamento de Transporte (DOT en inglés) parte 49 CFR 350 a 399. Las Regulaciones sobre Materiales Peligrosos se encuentran en 49 CFR 171-180.

Equipo requerido

¿Tiene su vehículo el equipo requerido que sigue? Si le falta algo, avísele a su supervisor. No opere su vehículo sin todo este equipo:

- Sistema de frenos de servicio, emergencia, y estacionamiento, que funcionen bien.

- Por lo menos dos faros y dos luces traseras para cuando se necesite más luz.

- Luces de freno que operen y una bocina, claxon u otro dispositivo audible de advertencia que pueda operarse desde la estación del operador.

- Parabrisas y limpiaparabrisas a fuerza. Se debe reemplazar vidrios que estén agrietados o rotos.

- Cinturones de seguridad con sus sostenes.

- Guardabarros, o deflectores de barros si no está diseñado para guardabarros.

Hay requerimientos adicionales para vehículos a motor de tipo específico:

Vehículos	Debe tener
Volquete	• Una aldaba u otro aparato en todas las palancas de operación que controlan el volquete para evitar arranque accidental del equipo; • Mangos de activar en la puerta de atrás de los volquetes hecho de tal manera que cuando se vierta, el operador esté seguro; y • Un sostén, instalado permanentemente y capaz de bloquearse en posición para prevenir verter la carga accidentalmente.
Grúa	Una aldaba u otro dispositivo en todas las palancas de control, palancas para controlar los aparatos de levantar para prevenir verter la carga accidentalmente.

Vehículos	Debe tener
Acarreo	Una defensa para la cabina y/o toldo que sea adecuado para proteger al operador de materiales que se muevan o caigan si la carga se hace por medio de grúas, palas de potencia, cargadores o equipo similar.
Para transportar personas	Número de asientos bien conjuntados y adecuados.

De la misma manera, ningún conductor puede operar un vehículo a motor con vista hacia atrás obstruida, a no ser que:

- Tenga una alarma para dar marcha atrás que se puede oír sobre el nivel del ruido que rodee, o

- El vehículo sólo puede dar marcha atrás cuando hay un observador que indica que se puede hacerlo.

Inspecciones

Su vehículo a motor es solamente cuan seguro lo determina la inspección mecánica.

Nunca use un vehículo que no esté en cumplimiento con los estándares de OSHA y el fabricante. Identifique un vehículo averiado o defectuoso, rotúlelo, ciérrelo con llave, o sáquelo del lugar de trabajo.

Sepa si el vehículo funcionó de forma normal en el turno inmediatamente anterior. Verifique el diario. ¿Hay deficiencias que necesitan ser corregidas?

Siempre haga con cuidado su inspección pre-operacional. Verifique si hay daños que podrían causar un accidente o falla mientras se lo use. Al **comienzo de cada turno,** verifique las siguientes piezas, en el vehículo que va a operar:

- Todos los sistemas de freno (de servicio, del remolque, de estacionamiento, emergencia)
- Bocina o claxon
- Dispositivos para remolcar

- Controles de operación
- Llantas
- Mecanismo de dirección
- Cinturones de seguridad
- Dispositivos de seguridad

Cuando el siguiente equipo sea necesario, estos requerimientos también aplican a:

- Luces
- Limpiaparabrisas
- Extintores (Extinguidores) de fuego

- Reflectores
- Descongeladores

Debería también añadirse a la inspección equipo que se encuentra en la lista de verificaciones del fabricante y de su empresa. Se deben corregir todos los defectos antes de que se devuelva el vehículo al servicio. Familiarícese con los requerimientos de mantenimiento y documentación de su vehículo. Determine si se ha hecho todo el mantenimiento necesario.

También es una buen idea el estar consciente de los lugares del vehículo donde no se puede ver bien. Verifique estos lugares durante su inspección. De esta manera usted evitará el chocar contra algo.

Entrada y salida del vehículo

Aunque usted no lo crea, hay formas apropiadas de trepar, entrar y salir de cabinas y asientos, y salir del vehículo a motor:

- Siempre use sostenes, encare las escaleras con peldaños y mantenga tres puntos de contacto (dos pies y una mano, o un pie y dos manos) todo el tiempo;

- Siempre use superficies ante resbalones, para trepar o caminar; y

- Nunca salte sobre o desde escaleras, peldaños, o pasillos.

Operaciones

Usted debe estar capacitado por medio de entrenamiento o experiencia pare operar vehículos a motor. El manejo de un vehículo a motor en construcción puede que sea muy diferente del manejo de un automóvil. Aquí están las reglas generales:

- Oprima la bocina (claxon) y siga los procedimientos establecidos antes de comenzar a mover el vehículo;

- Sepa el patrón de tráfico de su lugar de trabajo y carretera; y

- Sujete todas las herramientas y materiales para evitar que se muevan cuando se las transporta en el mismo compartimento con otros empleados.

¿Qué reglas de manejo se siguen?

Cuando maneje su vehículo a motor	Siga estas reglas
En caminos públicos	• Las leyes estatales y locales, y • Las reglas del Dep. de Transporte (DOT en inglés). •
En el lugar de trabajo	• Reglas de OSHA, • Las reglas de su empresa, y • Las reglas del buen sentido común.

Los vehículos impulsados con motor de gasolina arrojan al aire un escape de monóxido de carbono mortal. Solamente conduzca este tipo de vehículo en áreas bien ventiladas.

Transporte de materiales peligrosos

Como empleado de la compañía de construcción es posible que usted tenga que transportar materiales peligrosos (se dice en inglés HazMat). Esto podría consistir en explosivos, a pequeñas cantidades de algunos materiales declarados como peligrosos por el DOT.

El DOT ha identificado nueve clases de materiales que posan riesgos graves a la salud y a la seguridad/propiedad cuando se los transporta. Las clases son:

Clase 1 — Explosivos
Clase 2 — Gases
Clase 3 — Inflamables o combustibles
Clase 4 — Sólidos inflamables
Clase 5 — Oxidantes o peróxidos orgánicos

Clase 6 — Venenos
Clase 7 — Radioactivos
Clase 8 — Corrosivos
Clase 9 — Misceláneos

Para ser un conductor de HazMat se requiere entrenamiento en:

- Las provisiones generales de las regulaciones sobre materiales peligrosos;

- Reconocimiento e identificación de materiales peligrosos;

- Requerimientos específicos que se aplican a sus funciones de trabajo;

- Información sobre reacción en emergencia, medidas para auto protección, métodos y procedimientos para la prevención de accidentes;

- Entrenamiento básico y más detallado en conciencia de la seguridad.

- El manejo de escapes o fugas de materiales peligrosos; y

- Entrenamiento en comunicación de riesgos (véase el capítulo con ese nombre).

Piense acerca de sus vehículos a motor. ¿Hay algunos de ellos que llevan latas de aerosol de productos tales como pintura, lubricantes, pesticidas, fluidos para arrancar, etc., o pequeñas cantidades de líquidos inflamables tales como solventes, o

"fusibles", o aparatos de cartucho a potencia? ¿Y llevan gasolina para la operación de equipo auxiliar tal como sierras de fuerza, generadores portátiles u oxígeno y acetileno para soldar? Todos estos son materiales peligrosos sujetos a los requerimientos de HazMat.

Los requerimientos de HazMat incluyen:

- Determinación apropiada de la clasificación de riesgo,
- El marcar los paquetes correctamente,
- Preparación de documentos de embarque,
- Instalación de pancartas o rótulos para los vehículos, y
- Preparación para cualquier situación mientras se transporten materiales peligrosos en el lugar.

Estacionamiento

Las recomendaciones de estacionamiento generales siguen:

- Sepa el procedimiento seguro para estacionamiento de su vehículo.
- No estacione en un lugar que no sea visible a otro vehículo.

- Ya que fallas mecánicas pueden ocurrir, cuando usted vaya a alejarse de su vehículo (a 25 o más pies de distancia), es una buena idea neutralizar los controles, fijar los frenos, y apagar el motor para evitar movimiento.

Trabajando con el propósito de trabajar con seguridad

Lo más importante es el conocimiento de su vehículo. Sea un conductor con pericia y seguro:

- Dé el derecho del paso a los peatones,

- No permita ningún pasajero a no ser que el vehículo esté diseñado para pasajeros,

- Nunca rellene el combustible de un vehículo con el motor funcionando,

- Nunca fume mientras esté en lugares donde se rellene el combustible o se cargue la batería, y

- Nunca permita payasadas cerca de los vehículos a motor.

REPASO DE VEHICULOS A MOTOR

1. Nunca opere un vehículo al cual le falta:
   a. Guardafangos
   b. Cenicero
   c. Radio AM o FM
   d. Todo lo de arriba

2. Un volquete tiene que tener equipo adicional más allá de los que tienen los vehículos regulares, lo cual incluye:
   a. Un resguardo para la cabina
   b. Picaportes en todas las palancas de operación que controlan los aparatos de levantar
   c. Un sistema de frenos para estacionar
   d. Asas para bloquear la tapa trasera

3. Siempre lleve a cabo una inspección anterior a la operación del vehículo a motor al comienzo de cada:
   a. Turno
   b. Día
   c. Mes
   d. Año

4. Cuando entre o salga de un vehículo a motor, used debería:
   a. Dar su espalda a la escalera o peldaños
   b. Mantener 2 puntos de contacto a la escalera
   c. Usar superficies contra resbalones
   d. Todo lo de arriba

5. Cuando maneje un vehículo a motor en el lugar de trabajo, debería regirse por:
   a. Las reglas de OSHA
   b. Las reglas de la compañía
   c. Las reglas del buen sentido común
   d. Todo lo de arriba

6. Los vehículos impulsados por gasolina, emiten_____mortíferos al aire.
   a. Pesticidas
   b. Químicos
   c. Monóxido de carbono
   d. Todo lo de arriba

7. El Departamento de Transportación ha identificado los materiales de la clase 3 como:
   a. Venenos
   b. Combustibles
   c. Oxidantes, o peróxidos orgánicos
   d. Corrosivos

8. OSHA considera que un vehículo está sin cuidador cuando está a _____pies del operario.
   a. 6
   b. 10
   c. 25
   d. 50

9. Si la vista hacia atrás está obstruida, un operario de un vehículo a motor no debe operarlo a no ser que:
   a. Las luces parpadeantes de emergencia están encendidas
   b. Una alarma de marcha atrás se puede oír sobre los niveles del ruido
   c. Un observador dice que seguro dar marcha atrás
   d. b y c

10. Si un vehículo no cumple con las normas de OSHA y los fabricantes, usted debería rotularlo, bloquearlo o removerle físicamente del lugar de trabajo.
    a. Verdadero
    b. Falso

EQUIPO PROTECCIÓN PERSONAL: LA ÚLTIMA LÍNEA DE DEFENSA CONTRA LESIÓN

¿Cree usted que usando lentes de seguridad protege sus ojos y cara contra salpicaduras de químicos? ¿Y qué hacemos acerca de protección de las manos, cree usted que el uso de guantes de trabajo de lona protege sus manos contra cortes, agujeros, y abrasiones?

No se crea igualmente el equipo de protección personal, sin embargo, es una línea crítica de defensa contra exposición cuando los controles de ingeniería y administrativos y las practicas de trabajo no pueden eliminar el peligro. Dependiendo en la clase de equipo personal de protección (PPE, iniciales en inglés) que esté considerando, ya sea para las manos, pies, ojos, o cabeza, hay características y clasificaciones únicas dentro de cada categoría, sobre lo cual usted debe estar consciente.

Protección a los ojos

Cada año, miles de lesiones a los ojos que inhabilitan ocurren en la industria de construcción. La principal causa de las lesiones a los ojos fueron objetos que golpearon los ojos de los trabajadores. El contacto con químicos también cuenta para un número grande de lesiones.

OSHA dice

Los empleadores deben suministrar y pagar por protección de los ojos cuando tal equipo
es necesario para proteger a
los empleados de lesiones,
enfermedades y muertes
relacionadas a trabajo. Sin
embargo, usted debe notar
que hay excepciones para
artículos específicos. Las
reglas para la protección a
los ojos se encuentran en 29
CFR 1926.102. Se requiere
que los empleados usen protección a los ojos para
defenderse contra lesiones
en las situaciones donde
éstas pudieran ocurrir. El
equipo de protección debe
cumplir con los requisitos
especificados en el Instituto
Nacional Americano de

Estándares (ANSI en inglés) Z87.1-1968, Prácticas para la
Protección Ocupacional y Educacional de los Ojos y Cara.

Peligros de los ojos y cara

La mayoría de los trabajadores que sufrieron lesiones a los
ojos no estaban usando protección para ellos. Dijeron que la
protección a los ojos no se usaba normalmente o pensaron
que no era necesaria.

La mayoría de las lesiones a los ojos se puede prevenir
siguiendo las siguientes regulaciones de seguridad y usando
equipo de protección apropiado. Algunas de las causas
reportadas para lesiones a los ojos son:

- Gases, vapores, y líquidos dañinos.

- Polvos, humos, y rocíos.

- Objeto o partícula que vuela.

- Metales que salpican.

- Riesgos térmicos o de radiación tales como rayos de calor que reflejan, ultravioletas, e infrarrojos.
- Láseres.
- Peligros eléctricos.

¿Cómo puede usted proteger sus ojos?

Los primeros pasos para evitar lesiones a los ojos es el usar controles de ingeniería como guardas al equipo y tener buena ventilación y luz seguido por el uso de equipo de protección personal. Su empresa debe suministrar lavabos para los ojos para minimizar el daño una vez que una lesión ha ocurrido.

Equipo de protección personal para los ojos

Hay disponible una gran variedad de equipo de seguridad para evitar lesiones a los ojos. Equipo que protege los ojos y la cara deben cumplir con las pautas de ANSI, cuyas marcas deben estar marcadas directamente en el equipo (ej. el marco y los lentes de anteojos).

Anteojos de seguridad

El tipo más común de equipo de protección personal para los ojos es anteojos de seguridad. Estos se parecen a los anteojos normales pero tienen lentes mucho más fuertes, que resisten impactos y los cuales pueden traer o no traer  prescripción de un optómetra. Los marcos de seguridad resisten el calor y son más fuertes que los marcos de anteojos normales. También están diseñados a prevenir que los lentes se metan en los ojos.

Los anteojos de seguridad están disponibles con defensas laterales. Las defensas laterales dan protección a los lados de los ojos. Defensas laterales tipo copa dan protección más extensa a los ojos de los peligros que pudieran venir desde el frente, el lado, arriba o abajo.

Gafas

Las gafas son similares a los anteojos de seguridad pero caben más apretadamente. Éstas pueden dar protección contra situaciones peligrosas que tengan que ver con salpicaduras de líquidos, humo, vapor, y polvo. Algunos modelos se los puede usar sobre los anteojos de prescripción óptica y otros tienen unas copas hechas de tela para dar mejor ventilación.

Caretas

Las caretas de protección total para la cara se requieren para defenderse contra metales derretidos y salpicaduras químicas. Estas caretas permiten ser usadas sobre un casco o se las puede usar directamente sobre la cabeza. A una careta siempre debería usársela con otra protección a los ojos tales como gafas o anteojos.

¿Y qué pasa con los lentes de contacto?

La mayoría de los trabajadores pueden usar con seguridad sus lentes de contacto en el trabajo. Situaciones donde debe haber precaución en el uso de lentes de contacto incluyen aquellas donde usted puede estar expuesto a humo químico, vapor, o salpicaduras, calor intenso, y metales derretidos.

Es importante recordar que, si lo requiere el peligro, sus contactos sean usados en conjunto con protección adicional para los ojos. A los lentes de contacto se los debería quitar inmediatamente si los ojos se ponen rojos, la vista se pone borrosa, o si hay dolor que se desarrolla en el trabajo.

Es una buena idea el tener un par de anteojos extras de contacto, o anteojos con prescripción óptica en caso de que el par que usted usa normalmente se pierda o se averíe mientras esté trabajando. Usted también podría informar a su supervisor o a los personeros de primeros auxilios que usted usa lentes de contacto, en caso de cualquier lesión en el trabajo.

Cuidado a su protección para los ojos

El equipo de protección para los ojos y su cara debe mantenerse limpio y en buena condición. Esta prohibido el uso de protección para los ojos y cara, que esté rota o defectuosa visualmente.

Lugares para lavarse los ojos

Instalaciones pueden incluir fuentes para lavar los ojos, duchas que empapan rápidamente, mangueras que empapan, y botellas de emergencia. Evidentemente, todas éstas usan mucha agua para lavar los contaminantes a los ojos.

La ubicación del equipo para lavarse los ojos es muy importante; algunos contaminantes pueden dañar sus ojos con mucha rapidez. Los primeros 15 segundos después de una lesión es el periodo crítico. Por lo tanto, equipo para lavarse los ojos debería estar dentro de 100 pies o una caminata de 10 segundos desde el área peligrosa del trabajo.

Protección a los pies

Cuando se mira al estructura del pie humano, se encuentra que hay 27 huesos que están formados como un arco para dar soporte ancho y fuerte para manejar el peso de cuerpo humano. Los pies son partes muy valiosas del cuerpo, y son frágiles lo cual significa que se los debería proteger de los peligros en el lugar de trabajo. Sin embargo, muchos trabajadores no toman en cuenta este peligro y rehúsan usar calzado protector.

OSHA dice

Los empleadores deben proporcionar y pagar por la protección de los pies cuando este equipo es necesario a proteger los empleados de lesiones, enfermedades, y muertes. Sin embargo, usted debe notar que hay excepciones para artículos específicos. Las regulaciones de OSHA para la industria de construcción se encuentran en 29 CFR 1926.96. OSHA requiere que el calzado de seguridad cumpla con los requisitos de los Estándares Americanos Nacionales para el Calzado de Seguridad para Varones (ANSI Z41.1-1967).

Peligros a los pies

Sus pies son vulnerables a muchos tipos de enfermedades, cortes, perforación, quemaduras, torcedura, y fracturas. Pero, la fuente primordial de las lesiones son objetos agudos o pesados que caen sobre los pies.

Otros peligros incluyen:

- **Compresión** — Se aplasta el pie o dedos entre dos objetos, o se los atropella.

- **Perforación** — Un objeto agudo como un clavo penetra a través de la planta del pie.

- **Electricidad** — Un peligro en el trabajo donde los trabajadores usan herramientas de fuerza o equipo eléctrico.

- **Resbalones** — Contacto con superficies peligrosas como aceite, agua, o químicos causan caídas.

- **Químicos** — Los químicos y solventes corroen zapatos ordinarios y pueden lesionar sus pies.

- **Calor o frío extremo** — Se requiere aislamiento o ventilación dependiendo en el clima.

- **Humedad** — El peligro primordial puede ser los resbalones, pero incomodidad e infecciones de hongos pueden ocurrir si sus pies están mojados por un periodo largo.

Equipo de protección personal para el pie

La protección a los pies significa el guardar dedos de pie, tobillos y pies de las lesiones. El calzado protector viene en muchas variedades para satisfacer aplicaciones específicas de trabajo:

- **Zapatos de seguridad** — Los zapatos de seguridad estándar tienen puntas que cumplen con los requerimientos del estándar ANSI. Acero, plástico reforzado, y caucho (hule) duro se usan para las puntas de los zapatos de seguridad, dependiendo en el uso que se los va a dar. A estos zapatos se los usa en muchos trabajos de construcción.

- **Calzado resistente a perforación de la suela** — Las suelas que resisten perforación en zapatos de seguridad protegen contra el peligro de pisar objetos agudos que podrían penetrar las suelas de zapatos estándar. A este calzado se lo usa principalmente en trabajo de construcción en general.

- **Defensas para metatarso** — Los zapatos con guardas al metatarso o defensas al empeine protegen de los impactos a la parte superior del pie.

- **Zapatos conductivos** — Estos zapatos permiten que la electricidad estática que se acumula en el cuerpo del usuario escape a tierra sin causar daño. Al prevenir la acumulación de electricidad estática, la mayoría de los zapatos conductivos evitan que haya una descarga electrostática que podría encender mezclas explosivas sensibles. A estos zapatos los usan trabajadores en facilidades de municiones o en refinerías. No use estos zapatos si trabaja cerca de circuitos eléctricos abiertos.

- **Botas de seguridad** — Botas de seguridad ya sea de goma o plástico ofrecen protección contra aceite, agua, ácidos, corrosivos y otros químicos industriales. También están disponibles con características como puntas de acero, suelas que resisten perforación o defensas al metatarso. Se pueden poner algunas botas de goma sobre los zapatos regulares de seguridad.

- **Zapatos para peligros eléctricos** — Estos zapatos ofrecen protección contra descargas eléctricas que podrían ocurrir cuando se ponen en contacto con circuitos abiertos de 600 voltios o menos bajo condiciones secas. A estos se los usa cuando los empleados trabajan en circuitos eléctricos vivos o potencialmente vivos. La punta al rededor de los dedos del pie está aislada del zapato de manera que no haya metal expuesto. Estos zapatos son más efectivos cuando están secos y en buena condición.

- **Zapatos que disipan estática** — Estos zapatos están diseñados para reducir la acumulación de electricidad estática excesiva. Estos llevan la carga estática del cuerpo a tierra mientras mantienen un nivel suficientemente alto de resistencia para proteger al trabajador de una descarga eléctrica proveniente de circuitos eléctricos vivos.

- **Protección a los pies que se puede añadir** — Se pueden añadir defensas para el metatarso y cubiertas para los zapatos para más protección de objetos que caigan. Se pueden usar sandalias con suelas de madera amarradas a los zapatos para protección contra peligros del suelo tales como aceite, ácido, agua caliente, cáusticos, u objetos agudos. Las polainas de caucho (hule) protegen a los pies y a los tobillos contra químicos. Se pueden insertar protecciones hechas de acero contra perforación dentro de los zapatos para proteger de peligros al pisarse. Se pueden juntar cornamusas a sus zapatos para darle mejor tracción.

Protección a las manos

Cómo contestaría usted a la pregunta, "¿Cuál es la herramienta que más se usa en construcción"? Mucha gente diría que una herramienta común como un martillo o destornillador. Otros pueden responder con una lista de equipo más grande tal como tornos o herramientas de fuerza. Pero la contestación correcta es muy simple. La herramienta más común que se usa  en cualquier lugar de trabajo es la mano humana.

Piense en cualquier trabajo en su instalación, desde barrer la basura, al uso, con pericia, de la paleta para acabar. Sus manos y dedos son herramientas que usted usa todos los días. Trate de escribir sin usar su pulgar. Trate de sostener un martillo solamente con dos dedos. La protección a la mano es importante porque ellas están expuestas a tantos peligros en el lugar de trabajo.

OSHA dice

Los empleadores deben proporcionar y pagar por la protección de las manos cuando este equipo es necesario para proteger los empleados de lesiones, enfermedades, y muertes relacionados a trabajo. Sin embargo, usted debe notar que hay excepciones para artículos específicos. No hay requisitos de seguridad para la protección de las manos en las reglas de construcción. Sin embargo, OSHA regula protección a los manos para la industria general en 29 CFR 1910.138. Usaremos esas reglas como base para nuestras discusiones aquí.

Su empresa debería seleccionar y requerir que usted use protección a las manos cuando esté expuesto a peligros tales como la posibilidad de absorber en la piel substancias dañinas, cortes y laceraciones graves, abrasiones, perforación, quemaduras químicas o extremos dañinos de temperatura.

Peligros a las manos

En el trabajo, sus manos están expuestas a tres clases de peligros:

- **Peligros mecánicos** — Estos están presentes cuando quiera que se usa maquinaria. Las lesiones que resultan del uso de maquinaria pueden incluir cortes, perforaciones, abrasión, o aplastamiento.

- **Peligros del medio ambiente** — Factores como calor o frío extremo, electricidad y el manejo de materiales tienen el potencial de lesionar sus manos.

- **Substancias irritantes** — Condiciones a la piel tales como dermatitis pueden ser causadas por el contacto con químicos y agentes biológicos (bacteria, hongos, y virus). Los químicos pueden entrar al caudal sanguíneo a través de abrasiones o cortes.

La primera defensa contra lesiones a la mano

La primera defensa en la batalla de reducir lesiones a la mano son los controles de ingeniería diseñados al equipo durante su fabricación y usados para alterar el medio ambiente de trabajo y hacerlo más seguro y sin peligros. Defensas en las máquinas protegen manos y dedos de las partes que se mueven y por lo tanto no deberían ser alteradas o quitadas. Los trabajos deberían ser diseñados para incorporar posición apropiada para las herramientas, manos y materiales.

Equipo de protección personal para las manos

El equipo de protección personal (PPE en inglés) puede reducir la frecuencia y severidad de lesiones a las manos y dedos. Aunque los dedos son más difíciles de proteger, se los puede proteger de muchas lesiones comunes. La protección personal viene disponible en la forma de guantes, guantes sin dedos, cunas para los dedos, dedales, cojines para las manos, mangas, y cremas y lociones que sirven como barrera.

Guantes

Los guantes son quizás el tipo de PPE para las manos que
se usa más. Dan protección a los dedos, manos, y a veces a las muñecas y antebrazos. Idealmente, los guantes deberían estar diseñados para proteger contra peligros específicos en la tarea que está haciéndose. Los tipos tienen una gama desde guantes de trabajo comunes, de lona, a guantes altamente especializados.

Buenos ejemplos de protección a las manos diseñadas para ciertos trabajos son artículos diseñados para aquellos que trabajan con electricidad - guantes especializados de caucho (hule), y mangas de caucho (hule) que son aislantes para uso de los que trabajan en líneas eléctricas. A los guantes se los hacen de caucho (hule) o goma natural o sintética y son codificados a color para corresponder con la protección al nivel de voltaje.

Se usan guantes de caucho (hule), vinilo, o neopreno cuando se están manipulando químicos cáusticos como ácidos, limpiadores, o productos de petróleo. Los guantes de cuero (piel) o reforzados con cuero con costuras metálicas, se usan para manejar materiales ásperos o abrasivos. Los trabajadores que trabajan con cuchillos muy afilados usan guantes de malla metálica.

A muchos guantes se los diseña para usarlos con algunas clases de químicos. Si le permiten seleccionar su propio PPE, lea las tablas de resistencia química publicadas por los fabricantes de los guantes. Estas tasan cada material del guante y cómo éste aguanta químicos específicos.

Use sólo guantes que le queden bien. Los que son muy pequeños pueden cansar las manos y los que quedan demasiado grandes entorpecen su trabajo. A los guantes se los debe usar con mucha precaución cerca de equipo o partes de máquina que se mueven. El guante puede agarrarse y tirar sus dedos o mano dentro de la máquina. A los guantes se los debe cuidar y limpiar de forma apropiada. Inspecciónelos regularmente para ver si hay cambio en forma, endurecimiento, estiramiento, o rasgaduras.

Otro PPE para la mano

Hay muchos otros tipos de protección para la mano:

- Guantes sin dedos se parecen a los guantes, pero sólo tienen una división, una para el pulgar, y otra para todos los otros dedos.

- Cunas de dedos dan protección para un solo dedo o punta de dedo.

- Dedales protegen el pulgar o el pulgar y los primeros dos dedos.

- Cojines para las manos protegen la palma de la posibilidad de cortes y fricción. Estos cojines también protegen contra quemaduras. Siendo más pesados y menos flexibles que los guantes o guantes sin dedos, los hace un poco más dificultoso el trabajar en tareas que requieran dexteridad manual.

- Mangas o puños para el antebrazo protegen las muñecas y los brazos contra el calor, líquidos que salpiquen, impactos o cortes.

Cremas para barrera

Las cremas o lociones para barrera pueden usarse solas o con otros tipos de PPE. Uno pudiera usar una loción cuando no se puede usar otro tipo de protección, tal como cuando se está trabajando cerca de maquinaria que está moviéndose. Hay disponibles tres tipos de crema:

- Crema que desaparece la cual contiene jabón/ emolientes para recubrir la piel, permitir lavarse las manos con facilidad, y proteger contra ácidos suaves.

- Crema repelente para el agua deja una película insoluble en la piel. La protege contra los irritantes en agua, álcalis y ácidos.

- Cremas repelentes a solventes protegen contra solventes y aceites irritantes.

Para ser efectivas, las cremas o lociones se deben aplicar con frecuencia. Recuerde que estas cremas no protegen contra substancias que son altamente corrosivas.

¿Qué pasa si se lesiona la mano?

Si uno se lesiona su mano, debería saber que hacer. Para cortes, controle la sangre por medio de presión directa sobre la herida. Para huesos rotos, inmovilice la mano lesionada. Para quemaduras químicas o de calor, ponga la mano bajo agua fluyente y lávela por 10 a 20 minutos. Algunos químicos reaccionan con agua de manera que lea las etiquetas de advertencia en los recipientes, o las MSDS's buscando información sobre primeros auxilios.

Si usted tiene que manejar una lesión más grave a manos o dedos tal como amputación, actúe con rapidez. A menudo se puede volver a conjuntar miembros cortados. Controle desangramiento y postración primero. Mantenga el miembro cortado frío pero no lo congele. No aplique un torniquete a no ser que le hayan enseñado cómo y cuando hacerlo.

No importa el tipo de lesión que ocurra, consiga ayuda médica lo más rápidamente posible. Reporte el accidente a su supervisor y lleve a la víctima al médico de la compañía, estación de primeros auxilios, o el recinto de emergencia en un hospital.

Protección a la cabeza

Cada año hay miles de lesiones a la cabeza en la industria de construcción. Las lesiones cubren la gama de concusión a muerte, raspados leves a trauma, o hasta electrocución.

OSHA dice

Su empresa debe suministrar y pagar por protección a la cabeza cuando tal equipo es necesario para proteger a los trabajadores de lesiones, enfermedades y muertes relacionadas al trabajo. Sin embargo, usted debería notar que hay excepciones para artículos específicos. Las regulaciones para la protección a la cabeza para la industria de construcción se encuentran en 29 CFR 1926.100. Los estándares reconocidos por OSHA para cascos protectores, están en los Requisitos de Seguridad para Protección Industrial a la Cabeza de ANSI, Z89.1-1969. Los cascos para empleados expuestos a descargas eléctricas de voltaje alto y quemaduras deben cumplir los requisitos que se encuentran en ANSI, Z89.2-1971.

Peligros a la cabeza

Las lesiones a la cabeza las causan objetos que caen o vuelan, o por golpes a la cabeza contra un objeto fijo. Otras lesiones a la cabeza provienen de descargas eléctricas y quemaduras. Los cascos están diseñados a hacer dos cosas: resistir penetración, y absorber el golpe de un choque. Estos hacen la lesión más leve porque están diseñados con una capa externa dura y un sistema de suspensión adentro.

Cuando usted esté trabajando en un lugar donde hay posibilidades de lesión a la cabeza proveniente de impactos, o de objetos que caigan o vuelen, o hayan posibilidades de descarga eléctrica y quemaduras, debe usar su casco.

Equipo de protección personal para la cabeza

Los cascos están en dos tipos y tres clases, los cuales tienen el propósito de proporcionar protección contra condiciones peligrosas específicas. Estos tipos incluyen:

- **Tipo 1** — Con ala completa, por lo menos 1¼ pulgada de ancho.

- **Tipo 2** — Sin ala, con el pico extendiéndose hacia adelante desde la coronilla.

Las clases de cascos duros son:

- **Clase A** — Para servicio en general, estos cascos dan protección limitada de impacto y voltaje. Minería, construcción de edificios, túneles, y trabajo en madera, son ejemplos de las industrias que usan los cascos de Clase A.

- **Clase B** — Para servicio en redes eléctricas, este casco le protege a su cabeza de impacto y penetración de objetos que caen y vuelan y descarga eléctrica y quemadura de alto voltaje. Se los usa principalmente durante trabajo en electricidad.

- **Clase C** — Para servicio especial, este casco está diseñado para que sea liviano y le dé protección contra impactos. A estos se los usa donde no hay peligros eléctricos.

Cuidado para su casco

Uno debería cuidar el casco para prolongar su duración y para su seguridad:

- Examine su casco diariamente para ver que no hayan golpes, grietas, o penetración. *No use* ninguno de estos si encuentra estas señales en la capa externa, suspensión, correa para la cabeza, o correa de sudar para la frente.

- No ponga su casco debajo de la ventana posterior de su automóvil. La luz del sol y el calor pueden dañar su casco.

- Limpie su casco una vez por mes con agua tibia y jabonosa. Friéguelo y enjuague la capa externa con agua limpia y caliente.

- No pinte su casco. Algunos tipos de pintura y solventes pueden dañar la capa externa y debilitar al casco.

Protección al oído

Cuando el ruido en su lugar de trabajo está más arriba de niveles de exposición catalogados en 29CFR 1926.52, Exposición Permitida de Ruidos, su empresa debe suministrar y pagar por aparatos protectores contra ruido cuando tal equipo es necesario para proteger los empleados de lesiones, enfermedades y muertes relacionadas al trabajo. Sin embargo, note que hay excepciones para artículos específicos. Pregúntele a su supervisor cuales ruidos, en el lugar de trabajo, exceden la exposición permitida.

La protección al oído que se inserta en su oreja debe quedar bien. Ponerse un trozo de algodón no es un aparato protector aceptable.

Protección respiratoria

Cuando esté trabajando con polvo, humo, rocío, nieblas, vapores, o gases peligrosos, es posible que no pueda ver u oler el peligro. Por esta razón su empresa monitorea estos peligros y usa medidas de control como ventilación para minimizar su exposición a estas substancias. Sin embargo, las medidas de control no son suficientes todo el tiempo para contener completamente estos peligros. Afortunadamente, el respirador apropiado le puede proteger de esos peligros en el aire que respire.

OSHA dice

Su empresa debe suministrar y pagar por protección de respiratoria cuando tal equipo es necesario para proteger a los trabajadores lesiones, enfermedades, y muertes relacionadas al trabajo. Sin embargo, usted debería notar que hay excepciones para artículos específicos. OSHA ha emitido regulaciones en 29 CFR  1926.103 gobernando el uso de respiradores para construcción. Su empresa es responsable en determinar si los respiradores son necesarios en el lugar de trabajo. Si tiene que usar un respirador, su compañía seleccionará y suministrará uno para usted.

Tipos de respiradores

Hay diferentes marcas y estilos de respiradores, pero todos ellos caen en uno de dos tipos: que purifican el aire, y que suministran atmósfera. Una vez que se ha determinado el respirador que se requiera, su compañía desarrollará un programa de protección respiratoria específico para su lugar de trabajo en lo que tiene que verse con información en la selección de respiradores, evaluaciones médicas, pruebas para determinar que le quepa bien, uso, programa para el cuidado de los respiradores, y procedimientos para asegurar cuan efectivo es el programa.

Respiradores que purifican el aire

Estos respiradores simplemente quitan los contaminantes del aire cuando usted lo respira. Debe haber niveles seguros de oxígeno en el aire cuando se usa un respirador que purifica

el aire. Típicamente, tienen una máscara que cabe apretadamente sobre la cara y usan un filtro, un cartucho, o lata
aprobada para el contaminante al cual usted está expuesto.

Respiradores que suministran atmósfera

Los respiradores que suministran atmósfera le proporcionan
aire para respirar desde una fuente limpia. Los respiradores
que entregan aire (SARs en inglés) usan una manguera para
traer aire limpio de una fuente a la careta, casco, o capucha
del respirador. Un aparato de respiración integral o auto contenido, (SCBA en inglés) le da aire desde tanques que carga
la persona que los usa.

Seleccionando un respirador

Es crítico que su compañía apareje los peligros de su trabajo
a las capacidades y limitaciones de respirador, porque el uso
de un respirador equivocado podría matarlo.

Si no hay suficiente oxígeno, o el contaminante (o sus niveles) es desconocido, inmediatamente se considera a la
atmósfera como peligrosa a la vida o salud (IDLH). Los respiradores que suministran atmósfera son apropiados para las
atmósferas IDLH.

Sin embargo, la mayoría de las atmósferas que requieren
protección respiratoria contienen suficiente oxígeno y tienen
niveles de contaminantes conocidos. No existen atmósferas
que no sean IDLH.

Evaluaciones médicas vienen primero

El uso de un respirador puede ser fatigante a su cuerpo.
Antes de que use un respirador, se le debe evaluar a usted
para asegurarse que tiene la capacidad física para usarlo.
Usted necesitará llenar un cuestionario médico y podría
necesitar un examen y pruebas médicas. Se pueden requerir
también evaluaciones médicas periódicas de seguimiento si
usted exhibe señales o síntomas que tendrían un efecto en
su habilidad de usar un respirador. Algunos ejemplos incluyen insuficiencia respiratoria, mareo, dolor al pecho,
enfermedad al pulmón, o condiciones al corazón.

Cómo hacer que un respirador le quede bien

Además de una evaluación médica, usted tiene que pasar una prueba de que está bien físicamente antes de usar un respirador con una careta que le ajuste bien. Ya que un respirador no quedará bien a todos, usted y su compañía tienen que encontrar el tamaño y estilo de respirador que le quede bien a usted. Sin que se le ajuste bien, el respirador no podrá darle protección.

Las caras de algunas personas no caben bien en la careta de un respirador. Generalmente, si usted usa anteojos o tiene barba, bigote, o patillas largas, su respirador necesitará unas modificaciones para que le ajuste bien.

Todos los exámenes hechos para que le quede bien, usan el mismo tipo y tamaño de respirador que usted usará en su lugar de trabajo. A usted le examinarán de nuevo, una vez por año, para asegurarse que el respirador le ajuste bien.

Usando su respirador

Cada vez que se ponga su respirador usted debe hacer dos verificaciones para asegurarse que su respirador tiene un buen sello a su cara:

Verificación	Descripción
Presión positiva	Cierre la válvula de exhalación y exhale suavemente en la careta. El sello está bueno si usted siente que la careta se expande hacia afuera ligeramente sin que aire escape alrededor del sello.
Presión negativa	Cierre la válvula de exhalación e inhale lentamente de manera que la careta se mueva hacia adentro. Sostenga su respiración por diez segundos. El sello es bueno si su careta se queda ligeramente derrumbada y no hay aire que entre al rededor del sello.

Cuando quiera que use un respirador, asegúrese que usted salga del lugar donde se usa el respirador, si:

- Usted detecta que vapor o gas está entrando, hay cambios en la resistencia a la respiración, o escapes en la careta;

- Usted necesita cambiar el filtro, el cartucho, o la lata;

- Usted necesita lavarse la cara o la careta para evitar irritación a los ojos o la piel; o

- Su respirador necesita reparación.

Cuidado y mantenimiento de respiradores

Manténgale limpio a su respirador y téngalo en buena condición. No arriesgue irritación, enfermedad, o contaminación usando un respirador sucio o averiado. El programa de limpieza e inspección del respirador depende en quién usa el respirador y cómo se lo usa. Siga la frecuencia para limpieza e inspección catalogada en la tabla abajo:

Si el respirador es:	Límpielo:	Inspecciónelo:
Suyo	A menudo como sea necesario	Antes de cada uso y durante la limpieza
Se comparte con sus compañeros	Antes de que cualquier otra persona lo use	Antes de cada uso y durante la limpieza
Uso de emergencia	Después de cada uso	Mensualmente

Además, los SCBAs deben ser inspeccionados mensualmente. Siga los programas para el filtro, el cartucho, y la lata.

Almacene su respirador para protegerle de daño, contaminación, polvo, luz del sol, temperaturas extremas, humedad excesiva, y químicos nocivos.

Si su compañía le permite a usted usar un respirador en forma voluntaria (cuando los contaminantes estén a niveles seguros), todavía necesita una evaluación médica y debe seguir las provisiones de su programa para limpieza, almacenaje, y mantenimiento de estos respiradores. Sin embargo, no se necesita un programa si solamente se usan máscaras de polvo en forma voluntaria. Además, su empresa le dará a usted información básica en el uso de respiradores, sea o no sea esto voluntario.

Trabaje con el propósito de trabajar con seguridad

Su empleador le puede proporcionar el PPE apropiado pero no puede cuidarlo todo el día para asegurar que lo esté usando. El PPE puede ser incómodo, entorpecedor, y caliente, pero éstas son sólo inconveniencias comparadas a las lesiones que podrían ocurrir. Es su responsabilidad trabajar con seguridad de manera que pueda irse a su casa y a su familia sin haber sido lesionado. Recuerde estos consejos sobre seguridad antes de comenzar cada día de trabajo:

- El equipo suyo propio para usar en el trabajo tiene que cumplir los mismos requerimientos de OSHA como el equipo suministrado por su compañía.

- Empareje la seguridad de su equipo al grado de peligro.

- Mantenga su equipo en una condición confiable e higiénica y reemplácelo si está defectuoso.

- Asegúrese que cualquier dispositivo de seguridad que use le quede bien.

- No use anteojos o botas de la calle para protección. Estos no han sido diseñados para seguridad.

- Nunca almacene su casco en la ventana de su automóvil.

- No juegue con la seguridad de sus ojos, pies, cabeza, u oído. El pensamiento "No me puede pasar a mí" es peligroso y se ha comprobado erróneo vez tras vez.
  Obtenga el equipo de protección apropiado y úselo todo el tiempo en el trabajo.

NOTES

Empleado _____

Instructor _____

Fecha _____

Compañía _____

REPASO DE EQUIPO DE PROTECCIÓN PERSONAL

1. Los tipos de materiales que causan lesiones de los ojos incluyen:
    a. Polvo
    b. Metales
    c. Vapores
    d. Todo de lo arriba ✔   Pg. 222

2. El tipo de protección a los ojos que se debe usar para protegerse de partículas de polvo es:
    a. Anteojos o lentes de seguridad ✔   Pg. 224
    b. Gafas ✔
    c. Protección a la cara
    d. Lentes de contacto

3. Los peligros que se confrontan en el lugar de trabajo que pudiera causar lesiones de los pies incluyen:
    a. Compresión ✔   Pg 226
    b. Gases nocivos
    c. Polvo
    d. Todo lo de arriba

4. El tipo de protección para los pies a usarse para prevenir la acumulación de electricidad estática es:
    a. Zapatos conductores
    b. Zapatos que disipan la estática ✔   Pg 228
    c. Botas de seguridad
    d. a y b

5. Los tipos de peligros a las manos a los cuales uno está expuesto en el lugar de trabajo incluyen:
    a. Mecánicos
    b. Del medio ambiente
    c. Químicos   Pg 230
    d. Todo lo de arriba ✔

6. El tipo de protección a las manos para impedir exposición a químicos cáusticos es:
    a. Guantes de caucho (hule) naturales o sintéticos
    b. Guantes de caucho (hule) vinilo o neopreno ✓ 231
    c. Guantes de cuero (piel)
    d. Guantes de malla metálica

7. Se debería usar un casco en los lugares de trabajo donde hay peligro de lesión a la cabeza que proviene de:
    a. Un impacto
    b. Choque o descarga eléctrica, o quemaduras
    c. De objetos que caen o vuelan
    d. Todo lo de arriba ✓ 234

8. El tipo de casco que da protección de impacto y voltaje limitado es:
    a. Clase A ✓ 230
    b. Clase B
    c. Clase C
    d. Todo de lo arriba

9. Hay muchas marcas y estilos de respiradores, pero todos ellos entran en dos tipos:
    a. Respiradores de partículas y combinación
    ✓ b. Respiradores que purifican el aire y respiradores que proveen atmósfera
    c. Respiradores proveídos de aire y aparatos de respirar auto-contenidos
    d. Todo lo de arriba

    237

10. Si se le requiere usar un respirador usted primero debe tener:
    a. Una prueba de ajuste
    b. Una evaluación médica ✓
    c. Una orientación sobre selección
    d. Todo lo de arriba

ANDAMIOS: ALCANZANDO LA ALTURA CON SEGURIDAD

Trabajar con equipo pesado y materiales de construcción en el espacio limitado de un andamio es dificultoso. Sin protección contra caídas o acceso seguro, se vuelve peligroso. Las caídas de estos andamios, construidos inapropiadamente, pueden resultar en lesiones que van desde torceduras a muerte.

Los ejemplos de vida real

Una cuadrilla que estaba poniendo ladrillos en el piso superior de un edificio de tres pisos, construyó una plataforma de seis pies que cubría la distancia entre dos andamios. La plataforma estaba correctamente construida con dos tablones de 2" x 12" con pasamanos a la  norma; sin embargo, uno de los tablones no era del madero para poner en andamios y también estaba podrido en el centro. Cuando uno de los albañiles pisó el madero, se desintegró y él cayó 30 pies a su muerte.

Dos empleados estaban limpiando con chorro de arena un tanque de agua de 110 pies de altura mientras estaban trabajando en un andamio, con suspensión de dos puntos, a 60-70 pies sobre la superficie del suelo. El punto donde el andamio estaba sujetado falló, soltando los cables del andamio y éste cayó al suelo. Los empleados no estaban amarrados independientemente y el andamio no estaba equipado con un sistema independiente para sujetar. Estos casos nos recuerdan que el peligro de trabajar en andamios es muy real. Muchos accidentes son causados por:

- Falla de tablas o sostenes.

- Resbalando en el andamio.

- Golpes causados por objetos que caían.

OSHA dice

OSHA espera que todos los andamios sean construidos según las instrucciones del fabricante y también requiere la instalación de sistemas de pasamanos en todos los lados abiertos y extremos laterales de las plataformas, al igual que el uso de sistemas de pasamanos y/o sistemas personales para arrestar caídas para andamios que estén a más de 10 pies sobre un nivel inferior y prácticas de trabajo seguras.

Las regulaciones de andamios se encuentran en 29 CFR 1926.450 – .454. Las reglas están divididas en cinco secciones:

- **Ámbito y aplicación** — La regla aplica a todos los andamios que se usan en construcción, alteración, reparación, (incluyendo pintura y decoración), y demolición.

- **Requerimientos generales** — Los requerimientos para capacidad, construcción, acceso, uso, protección contra caídas y protección contra objetos que caen cuando se trabaja en andamios.

- **Requerimientos adicionales** — Indica los tipos específicos de andamios en uso, y aplica requerimientos adicionales para trabajar con seguridad en ellos.

- **Ascensores externos** — Incluye requerimientos de seguridad para plataformas con plumas que se pueden extender, escaleras portátiles que se sostienen solas, plataformas articuladas de plumas, torres verticales, y la combinación de estos aparatos.

- **Entrenamiento** — Da requerimientos específicos de entrenamiento para: empleados que trabajan en andamios y empleados que arman, desarman, mueven, operan, reparan, mantienen, o inspeccionan andamios. Se cubre también el entrenamiento de nuevo.

Este capítulo se concentrará en las prácticas seguras de trabajo para las personas que usan los andamios diariamente. Sin embargo, la regla de andamios también tiene información y requerimientos para:

- Ingenieros que diseñan y construyen andamios,

- La persona capacitada de su empresa, y

- Personas que arman y que desarman los andamios.

Requerimientos generales

Es necesario que usted pueda reconocer los peligros asociados con el tipo de andamio que esté usando y saber que hacer en caso de que las cosas no se vean bien. Las siguientes reglas le ayudarán a entender y reconocer algunas de las cosas sobre las  cuales usted debería buscar y estar consciente.

Construcción de la plataforma de trabajo

- Las plataformas, en todos los niveles de trabajo, tienen que estar completamente entabladas entre los miembros verticales frontales y los sostenes de los pretiles.

- El espacio entre los tablones, y la plataforma y miembros verticales no puede tener un ancho mayor de 1 pulgada. Se hacen excepciones cuando su empresa puede mostrar que un espacio más ancho es necesario.

- Las plataformas y pasillos tienen que ser de 18 pulgadas de ancho exceptuando los andamios con gatos de escalera, puntales de placa superior, y los de gato de bomba que deben ser por lo menos de 12 pulgadas de ancho.

- Si las áreas de trabajo son tan estrechas que las plataformas y pasillos no puedan tener por lo menos 18 pulgadas de ancho, éstas deben ser tan anchas como sea posible hacerlas. A usted se le debe proteger de caídas por pretiles y/o sistemas personales para arrestar caídas.

- El filo del frente de las plataformas no pueden estar a una distancia de más de 14 pulgadas de la cara frontal de su trabajo a no ser que se erijan pretiles a lo largo del borde del frente y/o se estén usando sistemas personales para arrestar caídas. La distancia máxima de la superficie que se esté enyesando y trabajando tiene que ser de 18 pulgadas.

- Los extremos de su plataforma, a no ser que tengan fiadores u otro sistema de restricción, deben extenderse sobre la línea central de su sostén por lo menos 6 pulgadas, exceptuando el extremo de plataformas de 10 pies o menos en su largura, no se deben extender sobre su sostén más de 12 pulgadas, o de más de 10 pies, la largura no debe extenderse sobre su sostén más de 18 pulgadas, a no ser que:

  ○ Esté diseñada para sostener a los trabajadores y/o sus materiales sin voltearse; o

  ○ Tenga pretiles para bloquear el acceso del empleado al extremo de la plataforma.

Andamios sostenidos

- Por cada altura de 4 pies, el andamio debe tener ancho de 1-pie. Si no, para que no se voltee se debe amarrar, apuntalar, o atirantar para que así esté protegido de voltearse de acuerdo a las reglas de OSHA.

- Los andamios sostenidos deben estar asentados sobre placas de base y alféizares de barro u otros cimientos firmes.

- Objetos tales como bloques de madera o cubetas, no pueden ser usados para sostener andamios o como plataformas de trabajo.

- Los postes de andamios sostenidos, patas, vigas verticales, armazones y otros componentes verticales, tienen que estar verticalmente a plomada y reforzados para evitar bamboleo y otros movimientos.

Andamios suspendidos

- Los extremos de adentro de las batangas de suspensión de andamios deben estar estabilizados por pernos u otras conexiones directas al piso o plataforma de techo o estabilizados por medio de contrapesos.

- La persona capacitada de su empresa debe verificar las conexiones antes de que use un andamio de suspensión.

- Los contrapesos deben conjuntarse por medio de medidas mecánicas a las vigas de las batangas. No pueden ser hechos de materiales que fluyen tales como arena o ripio, o materiales de construcción como unidades de masonería o rollos de impermeabilizado para techos.

- Las cuerdas de suspensión deben ser inspeccionadas por su persona capacitada antes de cada turno de trabajo y después de cualquier ocurrencia que pudo haber afectado la integridad de la cuerda.

- Reporte cualquier problemas sobre "cuerdas" a su supervisor:

  ○ Todo daño físico que no permite a la cuerda hacer lo que debería hacer o la hace más débil.

  ○ Dobleces que pueden haber causado problema cuando se movía o se la movía alrededor del tambor.

  ○ Hilos individuales rotos.

- ○ Abrasión, corrosión, restriegue, aplanamiento o adelgazamiento que aminore el diámetro original, por más de una tercera parte, en los alambres o cuerdas exteriores.

- ○ Evidencia que se hizo funcionar un freno secundario durante una condición de sobre- velocidad, y éste a agarrado a la cuerda de suspensión.

- No se debería usar equipo impulsado a motor de gasolina y grúas en andamios de suspensión.

- Engranajes y frenos de grúas operadas a potencia, que se usan en andamios de suspensión deben estar encerrados para evitar los riesgos de pellizcar.

- Andamios con suspensión de dos y muchos puntos deben estar amarrados, o de otra manera asegurados, para evitar que se meneen si esto lo determina como una necesidad, su persona capacitada. No se deben usar anclas del estilo de limpiadores de ventanas para este propósito.

Acceso a su andamio

Llegar al nivel de trabajo de un andamio siempre ha sido un problema serio. Cuando no hay una escalera de mano o escalera, uno puede tentarse en el uso de los travesaños cruzados para trepar al andamio. *Nunca use los travesaños cruzados para tener acceso a la plataforma de trabajo de un andamio.*

Acceso a un andamio o entre andamios que estén a 2 pies más arriba o debajo del punto de acceso debe hacerse por medio de:

- Escaleras portátiles, escaleras con ganchos, escaleras que se puedan unir, escaleras de andamio, escaleras hechas de cuerda (tal como sostenes de cuerdas), rampas, pasillos, un acceso prefabricado integral del andamio, o otras medidas equivalentes; o

- Por medio de un acceso directo desde otro andamio, estructura, grúa de personas, o superficie similar.

Escaleras portátiles, de engancharse, y unibles deben:

- Ser colocadas de tal manera no volteen al andamio,

- Estar colocadas de manera que el peldaño de más abajo no esté a más de 24 pulgadas más arriba del punto de comienzo, y

- Equipadas con una plataforma de descanso a intervalos verticales de 35 pies.

Escaleras tipo escalera fija deben:

- Tener plataformas de descanso a intervalos de 12 pies, y

- Tener peldaños de pisar con superficie resistente a resbalones en cada peldaño de descanso.

Las torres de escalera deben:

- Estar equipadas con una riel lateral que consista de una riel superior (para manos) y una riel intermedia a cada lado de la escalera del andamio,

- Tener pretiles cuya superficie no cause perforación, laceración o se agarre a la ropa,

- Tener superficies contra resbalones en los escalones y descansos, y

- Tener pretiles laterales en los lados abiertos y extremos de cada descanso.

Las rampas y pasillos de 6 pies o más sobre los niveles más bajos deben tener sistemas de pretiles en sitio.

Los armazones de andamios que están diseñados a usarse como escaleras de acceso deben:

- Estar diseñados y construidos para este uso con peldaños de escalera,

- Tener espacios uniformes dentro de cada sección de armazón, y

- Tener un espacio máximo entre peldaños de 16 ¾ de pulgada.

Usando andamios

Una vez que esté listo para trabajar en andamios usted tiene su tarea más grande adelante: concentrándose en su trabajo mientras garantiza su seguridad, y la de sus compañeros. Este no es un momento cuando uno puede relajarse y pasar cosas por un lado. La distancia a la tierra es grande.

Antes de cada turno de trabajo, y después de cualquier incidente que podría haber afectado la estructura del andamio, la persona capacitada de su empresa debe inspeccionar el andamio y los componentes del andamio para ver que no haya ningún defecto visible.

Cuando llegue a la superficie de trabajo del andamio, mire al rededor suyo y asegúrese que todo esté como debería estar. Algunas cosas que debería notar cuando trabaje en un andamio incluyen:

- Que no se haya cargado al andamio en exceso de su máxima capacidad de carga o que éste esté a la carga nominal, cualquiera de las dos que sea menor. Sepa la capacidad y sepa como estimar la carga (trabajadores, herramientas, baldes de pintura, etc.) que estén sobre el andamio.

- Que el andamio no sea uno de los de arrimar.

- Que no se le mueva a su andamio horizontalmente mientras usted esté sobre éste, a no ser que esté específicamente diseñado para hacer eso.

- Que el andamio está a suficiente distancia de cables eléctricos, como sigue:

Cables aislados		
Voltaje	Distancia mínima	Alternativas
Menos de 300 voltios	3 pies	
300 voltios a 50 kV	10 pies	
Más de 50 kV	10 pies + 0.4 pulgadas por cada 1 kV. sobre 50 kV	2 veces la largura del aislador de línea, pero nunca menos de 10 pies

Cables no aislados		
Voltaje	Distancia mínima	Alternativas
Menos de 50 kV	10 pies	
Más de 50 kV	10 pies + 0.4 pulgadas por cada 1 kV. sobre 50 kV	2 veces la largura del aislador de línea, pero nunca menos de 10 pies

Nota : Si usted necesita estar más cerca de las líneas eléctricas de lo que está especificado arriba, consulte las reglas de OSHA para el procedimiento apropiado.

- Que a cargas que estén columpiándose cuando se las levanta cerca o hacia el andamio se las limite con cabos tiradores de control u otras medidas para controlar la carga.

- Que usted no esté trabajando en un andamio durante tormentas o vientos fuertes a no ser que su persona capacitada diga que es seguro hacerlo y que ha usted le han protegido por un sistema para arrestar caídas o una defensa contra el viento.

- Que no se permita que escombro se acumule en su andamio.

- Que no se usen dispositivos casuales tales como cajas o barriles para incrementar su altura al trabajo.

- Que no se esté trabajando en un andamio cubierto con nieve, hielo, u otro material resbaloso, exceptuando cuando se debe quitar estos materiales.

- Que no incremente la altura de su trabajo con una escalera de mano con la excepción de andamios de área muy grande y usted debe cumplir con la lista de requerimientos que se encuentran en el párrafo §1926.452(f)(15).

Protección contra caídas

El peligro de caídas cuenta por un porcentaje alto de lesiones y muertes entre las personas que usan andamios. Cuando usted esté en una plataforma de andamio a una altura en exceso de 10 pies sobre el nivel inferior, es necesario que le protejan de caerse con algún sistema de protección contra caídas. El tipo de protección requerido depende en el tipo de andamio que use:

Tipo de andamio	Protección requerida contra caídas
Silla contra maestre, andamio catenario, andamio flotante, andamio de viga de aguja, o andamio con gatos de escalera	Sistema personal para arrestar caídas
Andamio ajustable de suspensión de un punto o 2 puntos	Sistema personal para arrestar caídas y sistema de pretiles
Escalera de rampa	Sistemas para arrestar caídas y barandas, o cuerda para agarrar
Andamios ajustables auto contenidos cuando la plataforma está sostenida por un armazón	Sistema de pretiles
Andamios auto contenidos cuando la plataforma se la sostiene por medio de cuerdas	Sistema personal para arrestar caídas y sistema de pretiles
Camino dentro de un andamio	Sistema de pretiles dentro de 9½ pulgadas y a lo largo de por lo menos uno de los lados del camino
Instalación de ladrillos desde un andamio sostenido	Sistema personal para arrestar caídas o pretiles
Todos los demás	Sistema personal para arrestar caídas o sistema de pretiles

Todos los sistemas para arrestar caídas que se usan en andamios deben cumplir con los requerimientos del §1926.502(d) y deben estar sujetados por medio de acolladores a una cuerda de salvamento vertical u horizontal o un miembro estructural del andamio. Cuando se use, las cuerdas de salvamento verticales y horizontales y los acolladores deben cumplir con los requerimientos de §1926.452(g)(3).

Cuando hayan sido seleccionados para protección contra caídas, los sistemas de pretiles deben:

- Ser instalados a lo largo de todos los lados abiertos y, extremos de la plataformas,

- Ser instalados antes de que usted los use, y

- Cumplir con los requerimientos físicos de §1926.451(g)(4).

  Nota: La rieles superiores de los pretiles que hayan sido puestas en servicio después de enero 1, 2000 deben estar a una altura entre 38 y 45 pulgadas.

  Antes de esta fecha, las rieles superiores de pretiles sostenidos en andamios, y todas las rieles superiores suspendidas de los andamios, donde se necesita un pasamano (pretil) o un sistema para arrestar contra caídas, pueden tener de 36 y 45 pulgadas.

- Cuando se usan mamparas y mallas, éstas deben extenderse del extremo superior del sistema de pretiles a la plataforma, a lo largo de toda la abertura entre los sostenes.

- No se puede usar bandas de acero o plástico como la riel superior o riel intermedia.

- Cuando se use cuerdas de "Manila" o de plástico, para la riel superior o la riel intermedia éstas deben ser inspeccionadas por la persona capacitada de su compañía cuantas veces sea necesario, para asegurar que continúa cumpliendo con los requerimientos de fuerza de OSHA.

- Se aceptan barras cruzadas en lugar de la riel intermedia pero éstas deben cumplir con los requerimientos de §1926.452(g)(4)(xv).

Protección contra objetos que caen

Cuando esté trabajando en andamiaje, no solamente se le debe dar protección adicional, además de cascos, pero también contra cosas que caigan, tierra, u otros objetos encima de usted. Para contener éstos, se lo hace instalando equipo como el que sigue:

- Tableros de pie, mamparas, o sistemas de pretiles; o

- Redes contra basura, plataformas que sostengan, o estructuras de toldo.

Cuando los objetos son demasiado grandes o pesados para que funcionen con las medidas indicadas arriba, los trabajadores encima tienen que afianzar los objetos, lejos del borde de la superficie de donde podrían caer.

Donde hay peligro de que herramientas, materiales, o equipo caigan de un andamio y golpeen a un empleado *debajo suyo*, su empresa debe usar barricadas o tableros de pie para protegerles.

Cuando se haya apilado herramientas, materiales, o equipo a una altura mayor de la parte superior del tablero de pie, tabiques, o mamparas, su debe erigir un sistema de rieles de defensa con aberturas lo suficientemente pequeñas para evitar el paso de objetos, o estructuras de toldo, redes para escombros, o plataformas de recepción.

Tipos específicos de andamios

Además de los requerimientos generales para andamios, la regla de andamios tiene información adicional y requerimientos de seguridad para tipos de andamios particulares.

Si trabaja en cualquiera de los siguientes andamios, usted, y la persona capacitada de su empresa necesitan repasar los requerimientos de seguridad para andamios en 29 CFR 1926.452:

Tubular con acopladores	Suspensión ajustable de un solo punto
Armazón fabricado	Suspensión ajustable de dos puntos (etapas de bamboleo)

Tubular con acopladores

Para enyesar, decorar, y de gran área

Cuadrado, para instaladores de ladrillos

De caballete

Forma, y con soportes para carpintero

Con soportes del techo

Andamio volado

Con gato de bomba

Con gato de escalera

Con gato de ventana

Tablero para gatear

De peldaño, plataforma, y escalera de caballete

Suspensión ajustable de un solo punto

De muchos puntos, de muchos puntos para instalador de piedras y de suspensión ajustable de multi puntos para albañiles

Catenario

De flotación (barco)

Colgado interiormente

De viga de aguja

Suspensión a niveles múltiples

Movible

De soporte de reparación

De zancos

Elevadores aéreos

Las reglas sobre andamios tiene requerimientos de seguridad para elevadores aéreos porque plataformas que se puedan elevar y dar vuelta están clasificadas como andamios. Los elevadores aéreos de los tipos que siguen, al igual que una combinación de cualquiera de estos, se incluyen en la regla:

- Escaleras aéreas

- Plataformas de botavara que se pueden extender

- Plataformas de botavara que se pueden articular

- Torres verticales

Algunas de las reglas de seguridad sobre las cuales usted debería estar consciente cuando esté trabajando encima o con este tipo de equipo son:

Escaleras aéreas

Las escaleras aéreas, como camiones de escalera y camiones de torre, deben ser fijadas en su posición más baja por medio de un dispositivo de traba, encima de la cabina del camión, y el dispositivo de operación manual a la base de la escalera, antes de que el camión pueda moverse para la travesía en la carretera.

Plataformas de botavara extensibles y articuladas

- No opere la plataforma de botavara a no ser que se le haya autorizado;

- No exceda los límites de carga especificados por el fabricante, para botavara y plataforma (cesto);

- Haga que se comprueben los controles cada día antes de su uso para determinar que estén funcionando bien;

- Antes de usar la plataforma de la botavara, fije los frenos, ponga las batangas o balancines sobre un bloque o una superficie sólida, e instale cuñas a las ruedas si está en una cuesta o superficie inclinada;

- No se deberían usar dispositivos para trepar cuando esté trabajando en una plataforma de botavara;

- Use un cinturón corporal y acollador conjuntado a la botavara o la plataforma cuando esté trabajando en una plataforma de botavara. Note: Comenzando enero 1 de 1998, no se pueden usar cinturones corporales como equipo para arrestar caídas. Pueden todavía usarse como dispositivos de posición. Solamente ganchos que se traben, tipo cerradura, se pueden usar después de esta misma fecha.

- No se amarre a un poste, estructura, o equipo cercano cuando esté trabajando en una escalera aérea.

- Siempre párese firmemente en el piso de la plataforma (cesto), no se siente o trepe sobre los filos o use tablas, escaleras, u otros dispositivos para buscar posición de trabajo.

- No mueva el camión cuando esté la botavara elevada y trabajadores estén en la plataforma (cesto), a no ser que haya sido diseñado para este tipo de operación.

Cuando se hayan diseñado plataformas de botavara de extensión o articulantes, primordialmente como transportadores de personas, deben tener dos juegos de controles, uno en la plataforma y otro abajo. Los controles de la plataforma deben:

- Estar dentro o a un lado de la plataforma donde el operador los pueda alcanzar con facilidad.

- Tener su función claramente marcada.

Los controles de abajo deben:

- Tener su función claramente marcada.

- Permitir que los controles de arriba puedan ser superados por otros controles.

- No pueden ser operados a no ser que se haya obtenido el permiso del trabajador que está encima, *excepto en una emergencia.*

No se puede alterar la porción aislada de una plataforma de botavara en ninguna manera que podría reducir su valor aislante y posar un peligro eléctrico.

Repase el capítulo de Grúas y Cabrias de este manual, cuando trabaje cerca de la líneas eléctricas.

Requerimientos de entrenamiento

Antes de trabajar en cualquier tipo de andamios, se le debe entrenar a reconocer los peligros asociados con el tipo de andamio que esté usando, y entender los procedimientos para controlar o minimizar estos peligros.

El entrenamiento debe incluir:

- La naturaleza de cualquier peligro eléctrico, de caída, y objeto que le caiga donde trabaje;

- Los procedimientos correctos para confrontar los riesgos eléctricos;

- Los procedimientos correctos para erigir, mantener, y para los sistemas de protección contra caídas y protección contra objetos que caigan, que se están usando;

- El uso apropiado del andamio que usted vaya a usar;

- La manera de manejar de forma apropiada los materiales sobre el andamio incluyendo la carga máxima y la capacidad de carga del andamio; y

- Cualquier otro requerimiento de la regla del andamio que aplica a su situación de trabajo.

Si usted está erigiendo, desarmando, moviendo, operando, reparando, manteniendo, o inspeccionando un andamio, hay requerimientos de entrenamiento adicionales en la regla del andamio en 29 CFR 1926.454(b).

A usted se le debe volver a entrenar:

- Cuando cambios en su lugar de trabajo presenten un riesgo nuevo sobre el cual no haya recibido entrenamiento, o haya confrontado anteriormente;

- Donde haya habido cambios en el tipo de andamio, protección contra caídas, o presencia de otro equipo no reconocidos o tratados previamente en los cuales usted no ha recibido entrenamiento; y

- Cuando su empresa cree que usted no tiene la pericia o comprensión necesaria para trabajar con seguridad.

Trabajando con el propósito de trabajar con seguridad

La regulación de andamios, si se la sigue, está diseñada para prevenir accidentes. Por supuesto, no existe ninguna cantidad de reglas o entrenamiento que pueda hacer a su trabajo completamente seguro. El mejor motivador para que siga costumbres seguras de trabajo, es su deseo de mantenerse saludable y estar así cuando salga de su trabajo.

REPASO SOBRE ANDAMIOS

1. Para eliminar el peligro de caídas desde andamios, las plataformas en todos los niveles de trabajo deben ser:
   a. Por lo menos de 10 pulgadas de ancho
   b. Con maderos de pisar que tengan menos de 2 pulgadas entre ellos
   c. Con superficie de pisar que lleguen hasta los sostenes verticales del pasamano
   d. Todo lo de arriba

2. La distancia máxima de las parte frontal de la plataforma, y la cara donde se hace el trabajos de enyesar y tornear es:
   a. 18 pulgadas
   b. 22 pulgadas
   c. 12 pulgadas
   d. a y c

3. Para los andamios sostenidos, el radio entre altura y anchura es:
   a. 3, 2 pies
   b. 4,1 pies
   c. 6, 3 pies
   d. 2,1 pies

4. Si el andamio sostenido no cumple con el radio apropiado de altura y anchura, OSHA dice que se lo debe proteger de inclinarse por medio de:
   a. Amarrarlo
   b. Reforzarle
   c. Sostenerlo con cables de retén
   d. Cualquiera de los de arriba

5. Antes de usar un andamio de suspensión, las conexiones deben ser verificadas por:
   a. Una persona capacitada
   b. Una persona competente
   c. Dueño de la empresa
   d. Cliente

6. Para llegar al nivel de trabajo en el andamio usted nunca debería usar:
   a. Una escalera de mano
   b. Una escalera
   c. Los sostenes en cruz del andamio
   d. Una torre de escalera

7. Se debería erigir un andamio a una distancia mínima de ___ pies de líneas eléctricas aisladas de menos de 300 voltios.
   a. 5
   b. 3
   c. 10
   d. 10, 4

8. El tipo de protección contra caídas que se requiere para un andamio ajustable, que se sostiene solo, cuando la plataforma está sostenida por un armazón es:
   a. Sistema de pasamanos
   b. Sistema personal de arrestar caídas
   c. Cuerda de agarrar
   d. a y b

9. Los largueros superiores de un pasamanos fabricado y puesto en servicio después de enero 1, 2000, deben ser entre____ y 45 pulgadas de altura.
   a. 36
   b. 38
   c. 48
   d. 52

10. Cuando herramientas, materiales, o equipo estén amon-tonados más alto que la parte superior de un tablero de pie, panel o biombo, su empleador debe erigir:
    a. Sistema de pasamanos
    b. Estructura con toldo
    c. Una red para basura
    d. Cualquiera de los de arriba

SEGURIDAD EN EL LUGAR DE TRABAJO:
LA CLAVE PARA PREVENIR ACCIDENTES Y PÉRDIDAS

La seguridad del lugar y vigilancia en construcción no solamente protege el activo de su compañía, también protege su seguridad personal, herramientas y últimamente su trabajo. Este capítulo suministrará una vista en conjunto de su papel en el mantenimiento

de la seguridad de su lugar de construcción.

A OSHA le concierne la seguridad y salud en el lugar de trabajo, de manera que lo seguro en su lugar de trabajo es un asunto que cada empresa individual debe tratar. Sin embargo, la filosofía de su empresa lleva a prácticas seguras de trabajo, al uso de controles de ingeniería y administrativos así minimizando peligros, y estableciendo un compromiso total a poner la seguridad y salud del empleado primero, haciendo al lugar de trabajo probablemente más seguro.

Seguridad en el trabajo

Su empresa es responsable por entrenarle en reconocer y evitar condiciones peligrosas y de las regulaciones aplicables en su lugar de trabajo. También es la responsabilidad de su empresa el hacer visitas frecuentes y regulares al sitio donde usted trabaja y verificar condiciones seguras de trabajo. Sin embargo, usted tiene un papel importante en la seguridad y vigilancia de su lugar de trabajo.

Manteniendo las cosas en orden

Normalmente, los asuntos de buen orden no encabezan su lista de priorida-

des. Pero, a la mayoría de las personas nos disgusta trabajar en desorden y por buenas razones. Es molestoso, inseguro, antihigiénico, y está en contra de las regulaciones de OSHA.

Las reglas de OSHA (29 CFR 1926.25) definitivamente indican que usted debe trabajar en condiciones que promuevan seguridad y salud. Esto quiere decir lugares de trabajo bien ordenados. Algunos de los requerimientos de OSHA son:

- Mantenga el área de su trabajo, pasillos, y escaleras al rededor de su proyecto libre de maderos a desechar y otros maderos con clavos salientes.

- A intervalos regulares durante el día, quite basura, desechos combustibles y despojos.

- Reúna y separe desechos, basura, y trapos inflamables en recipientes suministrados por su empresa. Asegúrese que los recipientes para basura y para otros desechos aceitosos, inflamables o peligrosos, tengan tapas.

- Reporte cualquier situación peligrosa y accidentes a su supervisor inmediatamente.

Las tareas más simples — poner desechos donde se debe, envolver cordones de extensión cuando no se usen, amontonar maderos fuera del camino, puede aparecer poco importantes e innecesarias, hasta que alguien se lesiona.

Manteniendo las cosas en orden, realza la moral, promueve seguridad, y anima hábitos de trabajo profesionales, al mismo tiempo añadiendo dólares al activo.

Reconocimiento de peligros

Reconocer, evitar, y prevenir condiciones inseguras le permitirá a usted controlar o eliminar mejor cualquier peligro u otra exposición a enfermedades o lesiones. Preste atención a todos los asuntos que se discutan durante su entrenamiento. Usted y la vida de sus compañeros dependen en su entendimiento de cómo reconocer, evitar, y prevenir los peligros en su lugar de trabajo.

Substancias dañinas

Sepa como manipular, en una forma segura, todo veneno, cáustico, u otras substancias dañinas. Y sepa los peligros potenciales, higiene personal, y las medidas de protección personal que se requieren. Esto puede significar que usted necesita usar los guantes o el respirador apropiado. También significa que usted necesita lavarse sus manos después de usar una substancia. Asegúrese que lea la etiqueta y las hojas de datos de seguridad de materiales (MSDS's en inglés) sobre cualquier substancia dañina con la cual usted trabaje. Para averiguar más acerca de las substancia dañinas, mire los capítulos sobre Comunicación de Peligros y Exposición en el lugar de trabajo.

Plantas, insectos y animales dañinos

¿Ve usted zumaque en su lugar de trabajo? ¿Hay un nido de avispas? Trabajando al aire libre puede hacerle sentir como si usted es "uno con la naturaleza." Pero la naturaleza le puede morder si no tiene cuidado.

¿Cuáles son las plantas, insectos y animales peligrosos en su lugar de trabajo? Aquí está una lista de posibilidades:

Ortiga

Zumaque

Zumaque venenoso

Yedra venenosa

Ambrosía

Culebras venenosas (cascabel, cabeza de cobre, mocasín de agua, & de coral)

Garrapatas

Arañas venenosas (viuda negra, reclusa marrón)

Abejas/Avispas/Avispones

Mosquitos

Hormigas de fuego

Escorpiones

Perros y gatos

Zorros

Lobos

Osos

Gatos monteses

Coyotes

Zorrillos

Mapaches

Ardillas

Murciélagos

Cocodrilos

Tiburones/barracudas/medusas

Sepa como puede evitar ponerse en contacto con estas plantas, insectos y animales dañinos:

Cosa	Lugar	Protección
Plantas venenosas	Parte oriental, sur, y medio oriente en EE.UU. El aceite tóxico puede contaminar cualquier cosa que toque la planta (hasta herramientas y equipo).	Recuerde la frase "si hay tres hojas, no lo cojas." Use pantalones largos y mangas largas y cuando quiera sea posible, guantes y botas.
Insectos	Abejas/avispas/avispones nidos & plantas con flores Arañas viuda negra, lugares oscuros tales como montones de madera. Arañas reclusas marrones, lugares oscuros y secos en la parte del sur de EE.UU. Garrapatas que traen la enfermedad Lyme - dondequiera en EE.UU.. pero mayormente en WI, MN. y en las costas orientales y occidentales. Muchos insectos merodean en la tierra y en follaje del suelo.	Use protección a los pies. Evite espantar los insectos que vuelan. Es mejor que suavemente los haga a un lado o espere que se vayan. Evite usar colonias, perfumes, desodorantes, u otros productos de higiene personal de olor dulce. Evite usar ropa de colores brillantes. Evite comer en áreas donde haya insectos; a muchos de ellos les atrae el olor a comida.
Animales	Refugios, montón de madera, y lugares de desechos.	No se acerque a ningún animal.
Culebras	Piedras y montones de madera	Use botas altas de cuero.

Durante su entrenamiento de primeros auxilios, usted aprenderá como tratar cualquier lesión causada por las plantas y animales locales (también vea el capítulo de Primeros Auxilios y Patógenos Provenientes de la Sangre). Aquí están algunos métodos generales de tratamiento:

Lesión	Tratamiento
Contacto posible con planta venenosa	Lave toda el área expuesta con agua fría corriente. El agua neutralizará el aceite tóxico y evitará que se extienda. No use jabón; puede extender el aceite. Lave toda la ropa afuera antes de traerla a su casa. Manéjela lo menos posible hasta que esté empapada. Lave todo el equipo que pueda haber traído el aceite. Si se le forma un sarpullido, trate de no rascar las ampollas. Las uñas pueden llevar gérmenes y causar una infección.

Lesión	Tratamiento
Picadura de insectos	Quite el aguijón raspando. Usted puede usar pinzas, pero al apretar el aguijón se inyecta más veneno. Aplique a la piel una crema de cortisona o calamina. Reduzca el dolor usando agua fría o hielo. Entre a un edificio para evitar atraer otras avispas (el veneno de las avispas tienen un olor que atrae otras avispas).
Mordedura o rasguño de animal	Limpie la herida con jabón y agua para evitar una infección. Ponga una venda en su herida.
Mordedura de culebra	Permita que la mordedura sangre por 15 - 30 segundos. Limpie y desinfecte el área. Ponga un vendaje elástico en el área, pero deje el lugar de la mordedura expuesto. Presione sobre la mordedura con un cojín de gasa y ponga esparadrapo sobre el cojín. Enfríe la herida sin usar hielo. Consiga atención médica.

Siempre busque atención médica si la herida se infecta o no mejora, siente otros síntomas como dolor de cabeza o fiebre, o si estuvieron involucrados plantas venenosas o animales.

Líquidos inflamables, gases, o materiales tóxicos

¿Sabe usted cómo manejar con seguridad el uso de líquidos inflamables, gases, o materiales tóxicos? Debería saberlo. Vea los capítulos en Reacción a Emergencias, Comunicación de Peligros, y Exposición en el Lugar de Trabajo. También esté consciente -de cualquier medida de control al medio ambiente que usted necesite usar.

Espacios limitados o encerrados

¿Cuál es la naturaleza de los peligros que existen en sus tareas cuando entra a un espacio limitado? Si el espacio requiere permiso los peligros aparecerán en el permiso. Averigüe que precaución se necesita tomar para combatir estos peligros *antes* de entrar al espacio. Y use el equipo de protección y emergencia requerido. Vea el capítulo sobre Entrada a Espacios Limitados para más información.

Medidas de seguridad personal

Las reglas generales de seguridad pueden ayudarle a eliminar lesiones. Éstas son:

- Use la ropa apropiada para el trabajo que esté haciendo. El frío y el calor podría presentar problemas. Siempre debería usar una camisa.

- Use los zapatos apropiados de seguridad para el trabajo que esté haciendo.

- El equipo de protección personal debe ser una parte constante de su ropa cuando sea necesario. Anteojos de seguridad, cascos, y calzado de seguridad debería ser parte de su equipo permanente y debe ser usado cuando se lo requiere.

- Anillos, relojes, y otras joyas siempre presentan peligros y no deberían usarse mientras esté trabajando.

- Materiales combustibles son un peligro de fuego en cualquier lugar de construcción. El fumar, equipo portátil para calentar, pequeños motores, y soldadura posan el mayor peligro.

- Nunca participe o tolere payasadas en su lugar de construcción. Lo que parece una diversión, puede volverse o tornarse en una tragedia.

Manejo y almacenamiento de materiales

El almacenamiento de materiales requiere un esfuerzo constante. Algunas de las reglas de OSHA que uno debe mantener en mente mientras almacena materiales en el patio de almacenaje o lugar en su trabajo se encuentran en el capítulo de Manejo y Almacenaje de Materiales.

Letreros, etiquetas, barricadas, y señales

El trabajo dentro y cerca de lugares de construcción es peligroso. El uso de letreros, señales, y barricadas apropiados hace más seguro a su lugar de trabajo ya que advierte a usted y sus compañeros acerca de los peligros. Las reglas de OSHA para letreros,  etiquetas, barricadas, y señales se encuentran en 29 CFR 1926.200 −.203.

Señales y etiquetas

Cuando vea letreros de advertencia en su lugar de construcción debería saber lo que significan y la razón por la cual están allí. Su seguridad depende en esto. Algunos de los letreros que puede ver y su significado son:

- Rótulos de DANGER (PELIGRO) le advierten acerca de peligros inmediatos. Estos rótulos tienen un panel superior rojo, un panel inferior blanco, y borde negro al rededor.

- Letreros de CAUTION (CUIDADO) advierte acerca de riesgos potenciales o contra costumbres peligrosas. El amarillo y el negro son los colores prominentes de ese letrero

- Letreros de EXIT (CUIDADO) indican el camino hacia la seguridad. Se requieren letras rojas en un fondo blanco.

- Letreros de TRAFFIC (TRÁFICO), controlan el tráfico.

- Etiquetas para ACCIDENT PREVENTION TAGS (PRE-VENCIÓN DE ACCIDENTES) se usan como medidas temporarias para advertirle acerca de un peligro existente, tal como herramientas o equipo dañado. Esas etiquetas tienen un fondo blanco o amarillo con letras rojas o negras. Típicamente dicen "Do Not Operate (No Operar)," "Danger (Peligro)," "Caution (Cuidado)," "Out of Order (Dañado)" o "Do Not Use (No se Use)."

Los letreros y símbolos tienen que estar visibles todo el tiempo cuando se está haciendo el trabajo y deben, ya sea quitarse, o cubrirse cuando los peligros dejen de existir.

Barricadas

La barricada es una obstrucción que previene la entrada de personas y vehículos.

Señales

Las señales son signos que se mueven sostenidos por personas con banderines o dispositivos como luces que se prenden y se apagan para advertir los peligros. Cuando letreros, señales, y barricadas no dan la protección necesaria para operaciones en carreteras o calles, se necesitan personas con banderines u otros controles apropiados de tránsito. Vea su capítulo sobre Seguridad en el Lugar de Trabajo para más información acerca de control por medio de banderines.

Vigilancia en el lugar de trabajo

La vigilancia en el lugar de trabajo se refiere a todos los esfuerzos para mantener a su planta, o lugar de trabajo sin peligro y seguro. Recientemente, también se refiere a la prevención de un ataque terrorista. El lugar de trabajo de su compañía está vulnerable porque tiene muchos diferentes trabajadores que van y vienen. Según la naturaleza de su trabajo, puede también haber el riesgo de robo de químicos o explosivos.

La vigilancia y seguridad en su lugar de trabajo son importantes por muchas razones. La razón primordial es proteger la inversión y el equipo de su empleador y proteger su propio equipo personal. El equipo de construcción puede ser muy caro y no se puede comprar solo con las monedas de su bolsillo. Usted también quiere proteger su lugar de trabajo de chiquillos que les encanta trepar en grúas y tractores.

¿Qué puede hacer su compañía?

Los esfuerzos para mantener la seguridad de su lugar incluyen de todo, desde controlar acceso por vehículos y peatones al uso de alumbrado y alarmas que detectan movimiento.

Control del acceso

Su compañía puede usar medidas para dirigir y restringir el acceso al lugar de trabajo o planta. En un lugar de trabajo sin edificios, estas medidas de control pueden incluir cercas, portones, y arcenes. Si usted está trabajando en una planta existente, las medidas de control pueden que estén ya en sitio. Pueden consistir de paredes, cercas, matas, portones, y lugares restringidos para tráfico.

Vigilancia del perímetro

La vigilancia del perímetro se refiere a las medidas que se usan para proteger los lugares de llegada y acceso al terreno de la planta, incluyendo iluminación adecuada y señales que detallan los derechos de acceso y los lugares de entrada. En un trabajo de renovación de un edificio, el acceso a las entradas de peatones puede controlarse a través del uso de vigilantes, lugares de entrada o torniquetes, portones cerrados con llave con acceso con llaves tipo tarjeta, y cámaras de vigilancia.

Control del tránsito de vehículos

Al tránsito de vehículos se lo puede controlar por medio de arreglos a la jardinería, portones, y lugares de vigilancia. Se puede requerir a los contratistas y a los empleados de contra-tistas estacionar sus vehículos en lugares claramente marcados, cerca de las áreas susceptibles.

Examen de las entregas

Su lugar de trabajo puede establecer un punto central de entregas para paquetes, equipo, materiales, y suministros que vienen al lugar de trabajo. Esto da una función de examen para proteger contra cosas como bombas, o peligros biológicos.

Use Vigilantes

Algunos lugares de trabajo tienen vigilantes uniformados localizados en lugares estratégicos o patrullando el lugar. Ellos pueden monitorear áreas susceptibles o sin ocupantes de la planta y observar que no haya incendios, asaltos, problemas al medio ambiente, o acceso sin autorización. Esto es de especial importancia en la noche y en los fines de semana.

Robo de explosivos

Muchos lugares, almacenes de las fuerzas armadas, y hasta búnkeres de policía son blancos de los ladrones que quieren robar explosivos. Algunas compañías de construcción, y probablemente todas las empresas de demolición, almacenan y usan explosivos. Los reglamentos de OSHA explican qué hacer y también requieren que su empleador reporte robos a la Agencia de Alcohol Tabaco y Armas de Fuego (BATF siglas en inglés) si notan que hay explosivos faltantes.

Algunos requisitos específicos para salvaguardar explosivos incluyen:

* Tener un inventario de todos los explosivos todo el tiempo;

* Mantener los explosivos que no se están usando en lugares cerrados con llave;

* Mantener un inventario y usar registros para todos los explosivos;

* Inspeccionar los lugares de almacenaje por lo menos una vez por semana; y

* Reportar pérdida, robo, o entrada sin autorización al almacén de explosivos.

¿Qué puede hacer usted?

De una manera u otra su compañía debe controlar el lugar de trabajo. ¿Cómo puede hacer esto?

* Desafíe la gente extraña o reporte a su supervisor cualquier vehículo o gente extraña que esté cerca de su lugar de trabajo durante su turno.

* Si existen, use cobertizos para almacenar sus he-rramientas pequeñas, o lleve sus herramientas a casa.

* Asegure que el equipo pesado esté cerrado con llave.

* Pida a la policía local que patrulle el lugar de trabajo lo más frecuentemente posible.

- Pida a otros lugares de negocio o vecinos cercanos que reporten a usted cualquier actividad fuera de lo normal. Dé un número de teléfono gratis donde le puedan llamar.

- Forme una patrulla de vigilancia de la compañía.

La seguridad del lugar de trabajo depende en su conocimiento de protocolos, procedimientos de seguridad y vigilancia. Es un asunto que todos deben tomarlo con seriedad.

Trabajando con el propósito de trabajar con seguridad

Accidentes que lesionan a personas o dañan la propiedad son riesgos de responsabilidad legal. La manera de minimizar estas pérdidas potenciales a su compañía, es aplicar todas las cosas que se han repasado aquí.

NOTES

REPASO SOBRE SEGURIDAD EN EL LUGAR DE TRABAJO Y VIGILANCIA

1. En el lugar de trabajo, OSHA exige:
   a. Que áreas de trabajo, pasillos, y escaleras estén desordenados
   b. Que se remueva la basura una vez por semana
   c. Se depositen los trapos inflamables dentro de los recipientes apropiados
   d. b y c

2. Si trabaja con, o alrededor de substancias peligrosas usted debería saber:
   a. Los peligros potenciales
   b. Medidas de protección personales
   c. Técnicas de uso y manejo seguras
   d. Todo lo de arriba

3. Para encontrar información sobre los peligros potenciales de substancias peligrosas, uno debería mirar:
   a. Folletos de marketing
   b. Las hojas de datos de materiales (MSDS)
   c. Las etiquetas de recipiente
   d. b y c

4. Una planta que puede ser nociva a la salud de empleado en el lugar de trabajo es:
   a. Ambrosia
   b. Artemisia
   c. Zumaque venenoso
   d. Todo lo de arriba

5. Para evitar ponerse en contacto con insectos dañinos, uno debería usar:
   a. Protección de los pies
   b. Desodorantes de olor dulce
   c. Ropa de colores vivos
   d. Todo lo de arriba

6. Busque atención médica si:
   a. La herida se cicatriza
   b. Se desarrolla fiebre
   c. Las plantas no son venenosas
   d. Todo lo de arriba

7. El seguir las reglas generales de seguridad puede ayudarle a eliminar lesiones; éstas son:
   a. Participación en payasadas
   b. Uso de cualquier tipo de calzado de seguridad
   c. Quitándose anillos, relojes, y otras joyas
   d. Todo lo de arriba

8. Para advertir a los empleados, se usa etiquetas para prevención de accidentes:
   a. Peligros inmediatos
   b. Peligros existentes
   c. Peligros potenciales
   d. Todo lo de arriba

9. Señales son:
   a. Banderines movibles sostenidos por señaladores
   b. Barricadas
   c. Luces parpadeantes
   d. a y c

10. Para mantener seguridad en el trabajo usted puede:
    a. Abrir acceso al lugar de trabajo
    b. Instalar iluminación y señales adecuadas
    c. Tener puntos de vigilancia sin personas
    d. Todo lo de arriba

RESBALONES, TROPEZONES, CAÍDAS:
LO BÁSICO DE LA SEGURIDAD EN EL TRABAJO

En nuestra manera de pensar, a menudo no se toman las caídas seriamente. En la televisión y en dibujos animados aparecen caídas espectaculares como efectos especiales o para hacernos reír. En realidad, las caídas en el sitio de trabajo son preocupaciones graves de la seguridad para los empleadores, aunque las lesiones ocurran en el mismo nivel o desde superficies elevadas. Un resbalón, tropezón, o caída tiene el potencial de cambiar para siempre, la vida de un empleado.

Aunque, hay muchos factores que contribuyen a las caídas en el lugar de trabajo, como superficies resbalosas o desiguales, pasillos obstruidos, alumbrado malo, uso inapropiado del equipo, o falta de atención a lo que rodea, las lesiones a menudo afectan partes múltiples del cuerpo y requieren un tiempo más largo de recuperación, o peor aún, causan muertes. Por eso es importante pensar primero como su empleador preferiría que usted maneje los trabajos que incluyen alto riesgo y tome los pasos necesarios para minimizar la exposición a los peligros.

Ejemplos de resbalones, tropezones, y caídas

Muchas lesiones y el muertes resultan de caídas a niveles más bajos como caídas de una escalera, techo, o andamio. La exposición a lados sin protección, aberturas en la pared, huecos en el piso; construcción inapropiada de andamios y el mal uso de escaleras portátiles constituye unos cuantos ejemplos de los peligros que se podría confrontar en un lugar de trabajo.

OSHA dice

Para prevenir este tipo de lesión, OSHA exige que empleados instalen sistema de pasamanos, sistemas de redes de seguridad, sistemas personales para arrestar caídas, dependiendo en la situación. Uno puede encontrar los requisitos de OSHA bajo 1926.501, Deber de tener protección de caídas, 1926.451, Requisitos generales de andamios, y 1926.1053, Escaleras.

Factores físicos involucrados en caídas

Pudiera aparecer que un accidente debido a pérdida de equilibrio no es complicado. Realmente, resbalones, tropezones, y caídas involucran a tres leyes científicas:

Fricción es la resistencia entre cosas, tal como lo que ocurre con sus zapatos y la superficie sobre la cual usted camina. Sin fricción, es probable que se resbale y se caiga. Un buen ejemplo de esto es resbalones en el hielo, donde sus zapatos no "agarran" la superficie, y usted pierde tracción y cae.

Momento está afectado por la velocidad y tamaño de un objeto que se mueve. Usted a oído la expresión "Mientras más grandes son, más duro caen." Lo cual significa que mientras más peso hay y más rapidez en movimiento, más fuerte será su caída si se tropieza o resbala.

Gravedad es la fuerza que le impulsa hacia la tierra una vez que el proceso de la caída ha comenzado. Si pierde su equilibrio y comienza a caerse, va a golpear el piso. Su cuerpo tiene sistemas automáticos para mantener el equilibrio. Sus ojos, orejas, y músculos todos trabajan para mantener su cuerpo cerca de su centro natural de equilibrio. La caída se vuelve probable si su centro de equilibrio (a veces se le llama centro de gravedad) se desplaza muy lejos y no puede ser restaurado a lo normal.

Resbalones

Un resbalón es la pérdida de equilibrio causada por muy poca fricción entre sus pies y la superficie sobre la cual usted camina o trabaja. La pérdida de tracción es la causa principal de los resbalones en el lugar de trabajo. Los resbalones son causados por superficies que estén cons-

tantemente mojadas, líquido derramado, o peligros del clima como hielo y nieve. Los resbalones ocurren con más probabilidad cuando usted está apurado o corre, usa una clase errónea de calzado, o simplemente no presta atención a las superficies sobre la cual está caminando.

Siga estas precauciones de seguridad para evitar resbalones:

- Practique la habilidad de caminar con seguridad. Si tiene que caminar en superficies mojadas, tome pasos cortos para mantener su centro de equilibrio debajo suyo y apunte sus pies ligeramente hacia afuera. Muévase lentamente y preste atención a la superficie sobre la cual usted esté caminando.

- Limpie derrames inmediatamente. Cuando vea cualquier tipo de derrame, límpiele usted mismo o repórtelo a la persona apropiada. Hasta derrames pequeños pueden ser muy peligrosos.

- No permita que grasa se acumule en su lugar de trabajo. Si hay grasa en el trabajo, asegúrese que se la limpia rápidamente.

- Tenga más precaución sobre superficies lisas. Muévase más lentamente en pisos nuevos que hayan sido encerados o en otras superficies muy resbalosas.

Ayuda el usar los zapatos correctos

Una de las mejores maneras de evitar resbalones, tropezones, y lesiones provenientes de caídas es incrementando la
fricción entre sus zapatos y la superficie sobre las cuales
usted camina. La cantidad de tracción que proporciona la
suela varía con la superficie de trabajo.

Por ejemplo, zapatos con suelas de neopreno se pueden
usar con seguridad en la mayoría de las superficies secas o
mojadas. Sin embargo, no se los recomienda para condiciones en aceite. Las suelas de crepé son mejores para
hormigón áspero, ya sea mojado o seco. Pero no se sugie-
ren para baldosas, hormigón liso, o superficies de madera.

Cuando seleccione calzado de seguridad, tiene que determinar las condiciones y/o los peligros que usted encuentra más
a menudo en el trabajo. Por ejemplo, los zapatos y suelas
que no resbalan serán útiles cuando se trepe escaleras o
andamios.

Hay disponible otros dispositivos para incrementar la tracción
de sus zapatos. Fiadores se pueden atar por correas a las
suelas para más tracción en hielo. También hay sandalias y
botas que no resbalan que se pueden poner sobre los zapatos para dar mejor tracción en hielo, aceite, químicos, y
grasa. Si estos dispositivos están disponibles, úselos dependiendo en los requerimientos del trabajo.

Ayuda el tener las áreas de trabajo nítidas y en buen orden

OSHA requiere que su lugar de trabajo no tenga trozos de
madera y otros despojos tirados. Los pisos deben estar
secos y no tener objetos salientes tales como clavos, astillas,
huecos o tablas flojas.

Muchos accidentes de resbalones son causados por métodos inadecuados de limpieza. La persona promedio más o
menos da 18,000 pasos al día en una gran variedad de
superficies de suelo. Se pueden tratar los pisos con muchos
acabados y es posible que usted tenga la oportunidad de
seleccionar productos para usarlos en la limpieza y mantenimiento.

Más tracción para pisos mojados

Una manera de evitar resbalones en superficies que están frecuentemente mojadas es aplicar algún tipo de abrasivo que incrementará la tracción. Se pueden pintar resina epoxídica y esmaltes que contienen compuestos arenosos, sobre pisos de hormigón, madera o metal. Estos productos son especialmente útiles para pasillos, pasarelas, y rampas.

Algunos fabricantes ofrecen una selección de rollos y tiras de materiales que resisten resbalones que uno puede aplicar a escaleras, planchas, u otras superficies de caminar, potencialmente peligrosas. Se pueden usar felpudos de hule como una solución permanente o provisional en lugares resbalosos. Se los utiliza por ejemplo cerca de entradas a edificios bajo construcción, donde se han traído desde afuera, agua u otros materiales.

Tropezones

- Mire bien por donde se está caminando. Sólo lleve cargas sobre las cuales pueda ver.

- Mantenga las áreas de trabajo bien alumbradas. Luces apagadas y bombillos quemados pueden interferir con su habilidad de ver bien. No tiente con sus manos en la obscuridad. Use una linterna o luz de extensión para iluminar su camino en lugares sin luz.

- Mantenga su área de trabajo limpia y no tenga desordenados los pasillos o escaleras. Almacene materiales y herramientas en armarios o lugares asignados solamente para almacenaje.

- Ordene el equipo de manera que no interfiera con pasillos o el tráfico de peatones en su lugar.

- Cordones de extensión o cordones para herramientas de fuerza, pueden ser peligros de tropezones. No deben estar en las áreas de trabajo. Póngalos en sostenes sobre la pared u ordénelos de manera que no estén en el camino de otros trabajadores. Sin embargo, no se debería sujetar a los alambres y cables con grapas, colgarlos de clavos, o suspenderlos por medio de alambre.

- Elimine peligros provenientes de tablas flojas en escaleras, escalones, y pisos. Reporte tablas flojas en escaleras o pretiles. Superficies para caminar irregulares, pavimento partido o tablas flojas pueden agarrar al pie y causar una caída.

- Almacene planchas y rampas en forma apropiada.

Caídas

Las caídas ocurren cuando uno se mueve muy lejos de su centro de equilibrio. Resbalones y tropezones pueden empujarle fuera de su centro de gravedad lo suficiente para causar una caída, pero hay muchas otras maneras de caerse. A las caídas las causa escaleras casuales, mal uso de escaleras, accidentes mientras se trepe y uso inapropiado de andamios.

La mayoría de las caídas y tropezones ocurren en el nivel del suelo, pero caídas de alturas posan un riesgo más alto de lesiones graves. Evite caídas siguiendo estas medidas de seguridad:

- No salte. Baje su cuerpo con cuidado cuando descienda de camiones o niveles más altos de trabajo.

- Verifique la iluminación. Asegúrese que las escaleras y lugares tengan buena luz.

- Repare o reemplace escaleras o pasamanos que estén flojos o dañados. Si el mantenimiento no es su trabajo, reporte estos peligros al personal apropiado en su lugar de trabajo.

- No almacene herramientas o equipo en escaleras o en pasillos.

- Use buen calzado con suelas apropiadas contra resbalones.

Las escaleras pueden ser peligrosas

Otro lugar de alto riesgo para el trabajador en construcción es las escaleras. Pérdida de tracción causa el número mayor de accidentes de resbalones y caídas en escaleras y generalmente son causadas por agua u otro líquido en los escalones o peldaños. Ya que usamos las escaleras tan a menudo, es fácil olvidarse que pueden ser peligrosas. Usted puede protegerse de lesiones:

- Usando pasamanos cuando sea posible. Si usted está llevando algo y no puede agarrar el pasamano, tenga más cuidado.

- No suba o baje las escaleras corriendo o salte de descanso a descanso.

- No lleve una carga sobre la cual usted no pueda ver.

- Reporte cualquier condición insegura rápidamente. Quizás usted no puede controlar la iluminación o el desorden en las escaleras, pero puede reportarlo al supervisor de su lugar de trabajo.

- Reporte escalones, peldaños, y pasamanos rotos en escaleras. Asegúrese que hasta las escaleras provisionales sean estructuralmente fuertes y tengan pasamanos.

Trabaje con el propósito de trabajar con seguridad

Evitando resbalones, tropezones, y caídas es una tarea que depende en muchos factores; más importantemente, usted. Es posible que usted no pueda cambiar el lugar donde trabaja, pero puede reconocer los peligros, tomar responsabilidad en eliminar los riesgos y usar dispositivos y equipo de seguridad.

REPASO DE RESBALONES, TROPEZONES, Y CAÍDAS

1. Las tres leyes científicas involucradas en caídas son fricción, _____ , y gravedad.
    a. Momento
    b. Enfoque
    c. Tamaño
    d. Coordinación

2. Resbalones pueden ocurrir como resultado de:
    a. Superficies mojadas
    b. Tipos de zapatos
    c. Atención
    d. Todo lo de arriba

3. El tipo de suela en el zapato que puede usarse con seguridad en concreto áspero es:
    a. Suela de neopreno
    b. Suela de crepé
    c. Contra resbalones
    d. Con calzas de amarrar

4. Una manera para añadir tracción a superficies mojadas es aplicar:
    a. Resina epoxídica con compuestos arenosos
    b. Esmaltes con compuestos arenosos
    c. Material contra resbalones
    d. Todo lo de arriba

5. La mejor manera de prevenir tropezones es:
    a. Lleve cargas sobre las cuales pueda ver
    b. Almacene materiales en pasillos y escaleras
    c. Obscurezca las luces
    d. Sujete cordones de extensión con grampas a los soportes de la pared

6. _____ pueden ocurrir cuando se aparta de su centro de equilibrio.
   a. Resbalones
   b. Tropezones
   c. Caídas
   d. Ninguno de los de arriba

7. _____ puede ocurrir cuando hay una pérdida de equilibrio causada por muy poca fricción entre sus pies y la superficie sobre la cual camina o trabaja.
   a. Resbalones
   b. Tropezones
   c. Caídas
   d. Ninguno de los de arriba

8. Para evitar caídas, usted debería:
   a. Saltar de los camiones y lugares de trabajo
   b. Almacenar herramientas o equipo en las escaleras
   c. Usar zapatos cómodos y casuales
   d. Reparar o reportar peldaños o pasamanos flojos

9. Causas de _____ número más alto de accidentes de resbalarse y caerse.
   a. Pérdida de tracción
   b. No usar pasamanos
   c. Llevar una carga sobre la cual no puede ver
   d. Peldaño roto de la escalera

10. Una persona toma aproximadamente _____ pasos por día.
    a. 2,500
    b. 7,500
    c. 12,000
    d. 18,000

SEGURIDAD DE HERRAMIENTAS: ALEJÁNDOSE DEL FILO QUE CORTA

¿Qué tienen en común destornilladores, sierras circulares, martillos, y taladros? Son herramientas que se usan comúnmente para hacer la tarea, pero posan muchos peligros que pueden resultar en heridas graves. El uso de herramientas manuales y de fuerza, puede exponer a los empleados a objetos que vuelan, cortes, o perforaciones, o polvo y humo dañinos.

Para protegerse, es importante entender cómo usar bien las herramientas y reconocer, y prevenir los peligros asociados con los diferentes tipos de herramientas.

Ejemplos de herramientas

Es cierto que las herramientas hacen las tareas pequeñas más fáciles, y posibles a las tareas grandes, pero a menudo se les da poca importancia. Aunque sean las herramientas simples, o las complejas de fuerza, todas las herramientas posan un peligro en el lugar de trabajo.

Ejemplos de herramientas manuales incluyen destornilladores, martillos, sierras manuales, llaves, y cortadores. La mayoría del tiempo los accidentes con herramientas manuales son causadas con trabajar con herramientas averiadas, o por usarlas inapropiadamente.

Las herramientas de fuerza pueden ser tan pequeñas como un taladro eléctrico o tan grandes como una picador de madera, pero todas requieren una fuente externa de energía. Las herramientas de fuerza son extremadamente peligrosas si se las usa incorrectamente, y por eso, deben tener instaladas defensas e interruptores de seguridad.

OSHA dice

OSHA exige a los empleadores suministrar las herramientas correctas para la tarea y asegurar que estén en la condición apropiada de funcionamiento. Las regulaciones que mencionan la seguridad de herramientas se pueden encontrar en muchos lugares:

Tipo de regla	29 CFR	Nombre
Construcción	1926.300-.307	Herramientas, manuales y de fuerza
	1926.404	Seguridad eléctrica- Diseño y protección del alambrado
	1926.702	Construcción en hormigón y masonería- equipos y herramientas
	1926.951	Transmisión y distribución de fuerza eléctrica- herramientas y equipo protector
Industria en general	1910.211-.219	Maquinaria y defensas de máquinas
	1910.241-.244	Herramientas portátiles, manuales y de fuerza y otro equipo que se sostiene con la mano

Reconocimiento del riesgo

En el proceso de quitar o evitar los riesgos, uno debe aprender a reconocer:

* Los peligros asociados con los diferentes tipos de herramientas.

* Las precauciones de seguridad necesarias para prevenir los accidentes asociados con estos riesgos.

Generalmente, los peligros de las herramientas se pueden poner en dos categorías:

* Fuentes de fuerza de herramientas. Principalmente es la electricidad pero puede ser de aire, o hidráulica.

* Los peligros de la acción de cortar de las herramientas, cortar a cizalla, perforación, o escombros que resultan de esas acciones.

Algunas reglas generales de seguridad

Estas reglas generales aplican a todas las situaciones que tienen que ver con herramientas:

- Mantenga su área de trabajo bien alumbrada, seca, y ordenada.

- Mantenga sus herramientas. Esto incluye afilándolas, aceitándolas y guardándolas apropiadamente.

- Regularmente inspeccione las herramientas, cordón, y accesorios. Este es un requerimiento de seguridad eléctrica de OSHA. Véase el capítulo sobre Seguridad Eléctrica para más información.

- Reemplace equipo con problemas inmediatamente. Haga reparaciones solamente si está capacitado.

- Use características de seguridad tales como enchufes de tres clavijas, herramientas con aislamiento doble, e interruptores de seguridad. Mantenga las defensas de la máquina bien reparadas y en su lugar.

- Use equipo de protección personal (PPE en inglés) tal como anteojos de seguridad, respiradores, y protección al oído.

- Use la ropa correcta. Escoja ropa que no se envuelva en las herramientas, y no use joyas.

- Elija la herramienta apropiada para el trabajo. Use herramientas de tamaño correcto.

- Este consciente alrededor de substancias inflamables, y chispas provenientes de herramientas de mano hechas de hierro o acero pueden convertirse en una fuente peligrosa de encendido. Donde exista este tipo de peligro, herramientas que resisten chispas hechas de latón, plástico, aluminio, o madera, proporcionarán seguridad.

Herramientas de mano

Las herramientas de mano incluyen muchas desde hachas, a llaves. Los peligros más grandes provenientes de herramientas son causados por mal uso y mantenimiento inadecuado. Algunos ejemplos de los peligros de herramientas son:

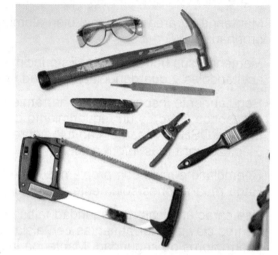

- El uso de un cincel como destornillador puede causar que la punta del cincel se rompa, y le golpee a usted o a otros empleados.

- Si el mango de madera de una herramienta tal como un martillo o un hacha está flojo, agrietado, o astillado, la cabeza puede volar y hacer impacto con usted u otro trabajador.

- Usando una llave con eje descentrado o mordaza lisa.

- Usando herramientas de impacto tales como cinceles, cuñas, o pasadores de golpe con cabezas como hongos. Las cabezas pueden hacerse añicos al recibir el impacto, disparando fragmentos puntiagudos.

- Usando una herramienta sin filo para cortar.

Su empresa es responsable por las condiciones seguras de las herramientas y el equipo que usted use, pero usted tiene la responsabilidad de usar y mantener las herramientas en una forma apropiada. Usted debería aprender a usar *todas* las herramientas en su lugar de trabajo, no solamente herramientas de fuerza, para que aprecie los peligros potenciales y aprenda las precauciones de seguridad necesarias para evitar que estos peligros ocurran.

Por ejemplo, si está usando una sierra, cuchilla, u otras herramientas, apúntelas lejos de donde otros empleados cercanos a usted, estén trabajando. Cuando trabaje con cuchillas de tirar, azuelas u otras herramientas de corte similares, use equipo de protección personal como guantes de malla metálica, defensas para sus muñecas, defensas para los brazos, y defensas tipo delantal o protección al abdomen.

Precauciones con herramientas de fuerza

Las herramientas de fuerza son eléctricas, neumáticas, de combustible líquido, hidráulicas, o actuadas con pólvora. Mire a la lista que sigue para ver gué precauciones generales que los usuarios de estas herramientas de fuerza deberían tener:

- Nunca sostenga la herramienta desde su cordón o manguera.

- Nunca tire el cordón o la manguera para desconectarla del receptáculo.

- Mantenga los cordones y las mangueras lejos del calor, aceite, y esquinas con filo.

- Desconecte las herramientas cuando no las use, antes de darles servicio, y cuando esté cambiando accesorios como hojas, taladros y cortadores.

- Mantenga a todas las otras personas que observen, a una distancia segura del área de trabajo.

- Asegure su trabajo con abrazaderas o un tornillo de banco, liberando ambas manos para operar la herramienta.

- Evite arranques accidentales. No ponga su dedo en el interruptor mientras lleve una herramienta enchufada.

- Siga las instrucciones en el manual del usuario para lubricación y el cambio de accesorios.

- Estése bien parado y manténgase bien equilibrado. Esta es otra razón para mantener su lugar de trabajo ordenado y sin despojos o basura.

- Use la ropa apropiada. Ropa floja, corbatas, o joyas pueden agarrarse en partes que se mueven.

- Herramientas portátiles eléctricas averiadas, deben ser sacadas de servicio y rotuladas "DO NOT USE." (NO USE). Pregunte a su supervisor acerca de los procedimientos aprobados de la compañía para la rotulación de equipo defectuoso.

Guardas

Las partes peligrosas que se mueven: correas, engranajes, ejes, poleas, piñones, husos, tambores, volantes, cadenas, deben tener defensas si estas partes están expuestas.

Guardas, como fuera necesario, deberían estar suministrados para proteger al operador y a otros de:

- Peligros en el punto de operación.

- Peligros de pellizco en el punto de entrada.

- Partes que den vueltas.

- Fragmentos y chispas que vuelen.

Nunca quite las defensas de seguridad cuando esté usando la herramienta. Por ejemplo, sierras circulares portátiles deben estar equipadas con guardas. Una guarda superior debe cubrir toda la hoja de corte. Una guarda inferior retractable tiene que cubrir los dientes excepto cuando estos hacen contacto con el material que se está trabajando. La guarda inferior debe regresar automáticamente a su posición cerrada, apenas termine de hacer el corte.

Interruptores de seguridad

Las herramientas de fuerza manuales que siguen, deben estar equipadas con un interruptor de control de contacto momentáneo "on-off" (encender, apagar): taladros, perforadores, impulsadores de sujetadores, amoladores con ruedas de amolar con tamaños de rueda de más de 2 pulgadas de diámetro, lijadoras de disco, lijadoras de banda, sierras recíprocas, sierras tipo sable, y otro equipo similar. Estas herramientas pueden también estar equipadas con un control que permita sostenerlas encendidas con tal de que el apagarlas se pueda conseguir con un solo movimiento del mismo dedo o dedos que las encendieron.

Las siguientes herramientas sostenidas a mano pueden estar equipadas con solamente un interruptor de control positivo para encender/apagar: lijadoras de rodillo, amoladores con ruedas de dos pulgadas o menos en diámetro, contorneadoras, aplanadores, acabadores de láminas, picadores, cortadores de tijeras, sierras de voluta, y sierra de contornos con espigas de hoja de cortar con un ancho de un cuarto de pulgada o menos.

Otras herramientas de fuerza que se sostienen a mano tales como sierras circulares, sierras de cadena, y herramientas de percusión sin medidas para sostener positivamente sus accesorios, deben estar equipadas con un interruptor de presión constante que apagará su fuerza cuando se suelta la presión.

Herramientas eléctricas

Entre los peligros principales de las herramientas de potencia eléctrica son las quemaduras y descargas eléctricas que podrían llevar a lesiones, o hasta un paro al corazón.

Para protegerle, las herramientas de potencia eléctrica deben tener ya sea, enchufe de tres clavijas con tierra y estar conectadas a tierra, tener aislamiento doble, o recibir su potencia de un transformador aislado de bajo voltaje.

Los enchufes con tres clavijas tienen dos clavijas que llevan la corriente y una que conduce de tierra. Un extremo del conductor de tierra se conecta al bastidor metálico de la herramienta. El otro extremo está conectado a tierra a través de la clavija en el enchufe.

Cuando se usa un adaptador para acomodar esto a un receptáculo de solo dos conexiones, se debe conectar el alambre adaptador a una tierra conocida. Nunca quite la tercera clavija del enchufe.

El aislamiento doble es más conveniente. El usuario y las herramientas están protegidos de dos maneras: por medio del aislamiento normal en los alambres adentro, y por el hecho de que el bastidor no puede conducir electricidad al operador en caso de que hubiera mal funcionamiento.

Usted debería seguir estas prácticas cuando use herramientas eléctricas:

- Opere las herramientas eléctricas dentro de sus limitaciones de diseño.

- Use guantes y calzado de seguridad.

- Almacene las herramientas en un lugar seco cuando no estén en uso.

- No use herramientas eléctricas en lugares húmedos o mojados.

- Mantenga los lugares de trabajo bien iluminados.

Herramientas de potencia con ruedas abrasivas

Amolando, cortando, puliendo, y lustrando con ruedas de alambre abrasivas de potencia, crea problemas especiales de seguridad porque pueden disparar fragmentos que vuelen.

Antes de montar una rueda abrasiva, se la debería inspeccionar con cuidado y hacer una prueba de campana o timbre para asegurarse que esté sin grietas o defectos. Para comprobar, golpee estas ruedas suavemente con un implemento suave que no sea metálico. Si las ruedas suenan rajadas o "muertas", podrían fragmentarse durante la operación y no se las debería usar. Una rueda sin daños, dará un sonido o "timbre" metálico claro.

Para prevenir que la rueda se agriete, asegúrese que cabe bien en el huso o eje. La tuerca del huso debe apretarse lo suficientemente para sostener a la rueda en sitio, pero no tan

apretada como para distorsionar el reborde. Siga las recomendaciones del fabricante. Asegúrese que la rueda del
huso no exceda las especificaciones de la rueda abrasiva.

Ya que una rueda puede desintegrarse (estallar) durante el
arranque inicial, usted nunca debería estar parado directamente al frente de la rueda cuando ésta acelera a su
velocidad de operación normal.

Herramientas portátiles de amolar necesitan estar equipadas
con defensas de seguridad para proteger a los trabajadores,
no solamente de la superficie movible de la rueda, pero también de fragmentos que podrían volar en caso de que se
rompiera.

Adicionalmente, cuando use un amolador de fuerza:

- Siempre use protección a los ojos,

- Apague la potencia cuando no esté en uso, y

- Nunca sujete un amolador de mano en una prensa de
  banco.

Herramientas neumáticas

Las herramientas neumáticas reciben su potencia de aire
comprimido. Éstas incluyen desportilladores, taladros, martillos, y lijadoras. El peligro más grande en el uso de
herramientas neumáticas es el de ser golpeado por uno de
los aditamentos o sujetadores de la herramienta.

Herramientas neumáticas que disparan clavos, remaches o
grapas, y operan a una presión de más de 100 libras por pulgada cuadrada, tienen que estar equipadas con un
dispositivo especial para evitar que los sujetadores salgan de
la herramienta, a no ser que la boca del cañón esté oprimida
contra la superficie del trabajo.

Se requiere protección a los ojos y se recomienda protección
a la cara cuando se use herramientas neumáticas. Es posible que se requiera calzado de seguridad cuando se usen
perforadoras neumáticas. El ruido es otro peligro. Cuando se
trabaja con herramientas ruidosas como perforadoras neumáticas, se requiere el uso apropiado y efectivo de
protección a los oídos.

Cuando use herramientas neumáticas, asegúrese que estén conjuntadas con su manguera en una forma segura. Un alambre corto o, un dispositivo de traba positivo que conjunta la manguera de aire a la herramienta, servirá como una protección adicional.

Pistolas de chorro que no usan aire y atomizan pintura y fluidos de alta presión (1,000 libras o más por pulgada cuadrada) deben estar equipadas con dispositivos automáticos, o visuales y manuales, de seguridad. Estos dispositivos evitarán oprimir el gatillo hasta que el dispositivo de seguridad haya sido liberado manualmente.

Si una manguera de aire tiene un diámetro que exceda media pulgada, se debe instalar una válvula de seguridad para exceso de flujo en la fuente del aire, para cerrar automáticamente el paso del aire, en caso de que la manguera se rompiera.

Generalmente, las mismas precauciones deben tomarse con una manguera de aire que las que se recomiendan para cordones eléctricos. La manguera sufrirá el mismo tipo de daño o golpes accidentales, y también presenta peligro de tropezones.

Se debe instalar una grapa o retentor de seguridad para evitar que aditamentos, tales como cinceles de un martillo de desportillar, se disparen sin intención del barril de sostén. Se deben fijar mamparas para proteger a trabajadores cercanos de los fragmentos que vuelen cerca de desportilladores, pistolas de remaches, engrapadoras, o taladros de aire. Nunca se debería apuntar una pistola de aire comprimido a nadie. Nunca ponga la punta de ésta en contra suyo o de cualquier otra persona.

Las perforadoras neumáticas pesadas pueden causar fatiga y torceduras. Mangos pesados de hule reducen estos efectos ofreciendo un lugar seguro para sostenerlos con las manos.

Herramientas de combustible líquido

El peligro más grave de las herramientas de combustible líquido viene de los vapores del combustible que pueden quemar o estallar, y echar al aire escape peligroso.

Maneje, transporte, y almacene la gasolina o combustible solamente en recipientes aprobados para líquidos inflamables, de acuerdo a los procedimientos apropiados para líquidos inflamables.

Antes de rellenar el tanque de combustible, apague el motor y permita que se enfríe para evitar encender el vapor peligroso.

Si usa una herramienta impulsada con combustible líquido dentro de un lugar encerrado, es necesario tener ventilación efectiva y/o equipo de protección personal para evitar la respiración de monóxido de carbono. Extintores (extinguidores) de fuego deben estar disponibles en el lugar.

Herramientas impulsadas por pólvora

Las herramientas impulsadas por pólvora operan como una pistola cargada y deberían tratarse con el mismo respeto y precauciones. En realidad, son tan peligrosas que solamente pueden ser operadas por empleados con entrenamiento especial.

Las precauciones de seguridad a recordarse son:

- No las use en una atmósfera explosiva o inflamable.

- Antes de usar la herramienta, inspecciónela. Particularmente, verifique que la boca esté libre de obstrucciones.

- Nunca la apunte a nadie.

- No la cargue hasta que esté listo a usarla. No deje sola la herramienta cargada.

- Mantenga sus manos lejos del extremo de la boca.

Para evitar que la herramienta dispare accidentalmente, se necesitan dos movimientos para disparar: uno para traer a la herramienta en posición, y otro para apretar el gatillo. Las herramientas no deben poder operar hasta que hayan sido oprimidas contra la superficie del trabajo con una fuerza de por lo menos de cinco libras más que el peso total de la herramienta.

Si una herramienta actuada por pólvora no dispara, espere por lo menos 30 segundos, entonces trate de dispararla otra vez. Si todavía no dispara, espere 30 segundos más ya que el cartucho defectuoso tiene menos posibilidad de estallar, y después con cuidado quite la carga. El cartucho defectuoso debe ser depositado en agua.

Use protección apropiada para los ojos y cara cuando use una herramienta actuada por pólvora.

El extremo de la boca debe tener una defensa protectora sobre el cañón para limitar fragmentos o partículas que vuelen cuando se dispara la herramienta. La herramienta debe ser diseñada para que no dispare a no ser que tenga este tipo de dispositivo de seguridad.

Todas las herramientas actuadas a pólvora deben ser diseñadas para cargas de pólvora que varíen, de manera que el usuario pueda seleccionar el nivel de pólvora necesario para hacer el trabajo sin usar fuerza excesiva.

Si la herramienta desarrolla un defecto durante su uso, rotúlela y sáquele de servicio hasta que haya sido reparada en una forma apropiada.

Sujetadores

No dispare sujetadores dentro de un material que permitiría que el sujetador traspase. También no dispare sujetadores dentro de materiales duros o quebradizos que podrían astillarse o fragmentar, o hacer que el sujetador rebote. No deben impulsarse sujetadores en materiales como ladrillo u hormigón a una distancia de menos de 3 pulgadas de su filo o esquina. En acero, los sujetadores no deben ser impulsados a una distancia menos de media pulgada de la esquina o borde.

Use una guía de alineación cuando dispare un sujetador en un hueco ya existente. Al sujetador no debe disparársele dentro de un lugar astillado que fue causado por un sujetador que entró mal.

Herramientas hidráulicas de fuerza

El líquido que se usa en las herramientas de fuerza hidráulica tiene que ser un líquido aprobado, que resiste el fuego, y debe retener sus características de operación en las temperaturas más extremas, a las cuales se le expondrá.

No exceda la presión de operación segura recomendada por el fabricante en las mangueras, válvulas, tubos, filtros, u otros acoples.

Gatos

Todos los gatos — de palanca y trinquete, de tornillo, e hidráulicos — deben tener un dispositivo de límite. También el límite de carga dado por el fabricante, debe estar marcado permanente en un lugar prominente en el gato.

No use el gato para sostener una carga levantada. Una vez que la carga ha sido levantada, inmediatamente bloquéela. Use bloques de madera, debajo de la base, si es necesariopara hacer que el gato esté nivel y seguro. Si la superficie del objeto levantado es metálica, ponga un bloque de madera dura, de una pulgada de espesor o equivalente, entre la superficie y la cabeza metálica del gato para reducir el peligro de que se resbale.

Para fijar un gato, garantice que:

- La base descansa en una superficie nivelada y firme,

- El gato está centrado correctamente,

- La cabeza del gato conecta con una superficie nivelada, y

- La fuerza para levantar se aplique en forma cuadrada.

El mantenimiento apropiado de los gatos es esencial para seguridad. A todos los gatos hay que inspeccionarlos antes de cada uso y lubricarlos regularmente. Si el gato está sujeto a golpe o carga anormal, éste debería examinarse de un extremo a otro extremo para asegurar que no haya sido averiado.

Los gatos expuestos a temperaturas heladas, deben llenarse con el líquido conteniendo anticongelante adecuado.

Trabajando con el propósito de trabajar con seguridad

Cuando use herramientas manuales y de fuerza, usted está expuesto a una variedad de peligros. Pero todos los peligros que provienen del uso de herramientas de fuerza pueden ser prevenidos usando cinco reglas básicas de seguridad:

- Mantenga todas las herramientas en buena condición y dé mantenimiento regular,

- Use la herramienta correcta para el trabajo,

- Examine cada herramienta antes de usarla,

- Opérela de acuerdo a las instrucciones del fabricante, y

- Suministre y use el equipo de protección correcto.

Empleado _____

Instructor _____

Fecha _____

Compañía _____

REPASO SOBRE SEGURIDAD DE HERRAMIENTAS

1. En el proceso de quitar o evitar peligros uno debe de reconocer:
   a. Los beneficios de diferentes tipos de herramientas
   b. Las precauciones de seguridad
   c. Los riesgos de fuentes de fuerza
   d. b y c

2. Una regla general de seguridad a tener en mente cuando se trabaja con herramientas es:
   a. Mantenga su área de trabajo mal alumbrada
   b. Use herramientas que producen chispas alrededor de substancias inflamables
   c. Escoja la herramienta correcta para el trabajo
   d. Reemplace equipo problemático tan pronto sea posible

3. Un ejemplo de mal uso de herramientas de mano es:
   a. Usar un cincel para apretar un tornillo
   b. Escoger un martillo con mango de madera en vez de uno con mango de acero
   c. Seleccionar una herramienta aguda de cortar para separar alambre
   d. Usar una llave para apretar una tuerca o un perno

4. Cuando use una sierra, cuchillo, u otra herramienta, apúntelas _____ otros empleados que trabajan cerca.
   a. Hacia
   b. Lejos de
   c. Perpendicularmente hacia
   d. Paralelamente hacia

5. Defensas en máquinas protegen a los empleados de:
   a. El producto terminado
   b. Piezas inmóviles
   c. Astillas y chispas que vuelan
   d. Todo lo de arriba

6. Un herramienta mecanizada sostenida a mano que debe estar equipada con un interruptor de control de contacto momentáneo y de "Encender/Apagar es:
   a. Sierra circular
   b. Taladro
   c. De corte de cizalla
   d. Lijadora de plato

7. Antes de montar una rueda abrasiva, debería:
   a. Comprobarla dejándola caer
   b. Haciendo la prueba de campanazo
   c. Comprobándola al calor
   d. Todo lo de arriba

8. Las herramientas que se impulsan por aire comprimido se conocen como:
   a. Herramientas eléctricas
   b. Herramientas manuales
   c. Herramientas neumáticas
   d. Herramientas hidráulicas

9. El peligro más grave con herramientas impulsadas por combustible viene de:
   a. Su rocío
   b. Su vapor
   c. Su polvo
   d. Su líquido

10. Cuando se impulsan sujetadores dentro de materiales como ladrillo o concreto, no se los debería instalar más cerca de _____ del filo o esquina.
    a. 3 pulgadas
    b. 6 pulgadas
    c. 12 pulgadas
    d. 18 pulgadas

SOLDADURA, CORTE, Y SOLDADURA FUERTE: EVITANDO LAS "TRES AMENAZAS"

Soldadura, corte, y soldadura fuerte constituyen una amenaza única a la salud y seguridad de los trabajadores en construcción. Piense acerca de esto — un arco de soldadura es lo suficientemente caliente para derretir acero y la luz que emite es literalmente cegadora. La soldadura también genera humo tóxico que está compuesto

de partículas microscópicas de metal derretido. Las chispas y escoria derretidas pueden ser disparadas por el arco hasta 35 pies de distancia y causar fuegos.

¿Es posible que usted se lesione si es un soldador? OSHA dice que el riesgo de lesiones fatales, por si solas, es más de cuatro muertes por mil trabajadores sobre una vida total de trabajo. Sin embargo su trabajo puede ser seguro si toma las precauciones apropiadas y sigue prácticas seguras de trabajo. Hasta en pequeñas tareas, trate de resistir la tentación de tomar atajos.

Clases de soldadura

Hay cuatro diferentes clases de operaciones de soldadura:

Clase de Soldadura	Descripción
Autógena	Une metales generando un calor extremadamente alto durante su combustión.
Resistencia	Une metales generando calor a través de resistencia creada por el flujo de una corriente.
Arco	Une o corta partes metálicas generado por el calor de un arco eléctrico que se forma entre el electrodo de soldar y el electrodo que se pone en el equipo que está soldándose. Incluye soldadura de arco de metal - gas, (que también se llama soldadura con metal - gas inerte) y soldadura con arco de núcleo de fundente (a la cual erróneamente se le llama soldadura con alambre tubular o núcleo de fundente).
Otra	Esto incluye fuentes de calor de soldadura y corte tales como fricción, láser, y ultrasónica.

OSHA dice

Cuando viene a soldar, OSHA exige a los empleadores a suministrar equipo de soldadura que permita que se haga el trabajo con seguridad. La agencia también exige que el equipo de soldar esté instalado con seguridad y que se garantice que los empleados tengan instrucción apropiada y sean capacitados a operar tal equipo. Para garantizar que se tomen estos pasos, OSHA ha desarrollado reglas que gobiernan soldadura, corte, y soldadura fuerte, las cuales se encuentran en 29 CFR 1926.350 hasta .354.

Peligros en soldadura

Al igual que en toda actividad de trabajo, habrá riesgos. Sin embargo, las operaciones de soldadura le exponen a un número más grande de riesgos desde pequeños a grandes. Aunque los riesgos de soldadura varían dependiendo en el lugar de trabajo y la tarea que está haciéndose, hay algunos peligros de soldadura comunes sobre los cuales uno debería estar consciente, incluyendo:

- **Gases** — A los gases se los libera durante las operaciones de soldadura y corte. Los gases pueden causar irritación respiratoria y a los ojos, dolores de cabeza,  tos, mareo, y escalofríos, y hasta la muerte. Los gases que se forman incluyen monóxido de carbono, dióxido de nitrógeno, ozono, y fosgeno. Estos gases se pueden formar de muchas maneras. El monóxido de carbono, por ejemplo, puede formarse si usted usa el gas protector dióxido de carbono en soldadura de arco por metal-gas.

- **Humos** — Este también está presente durante las operaciones de soldadura. El tipo de humo que se produce, depende en el metal, los preservativos de metal, el electrodo, o el material de aporte que se usa. Unas pocas horas de exposición a este humo puede causar síntomas como dolores de cabeza, dolores musculares, debilidad general, y escalofrío. Los humos incluyen:

Humo	Efectos
Bario	Irritación a nariz, vómito, problemas de corazón, fatiga muscular
Berilio	Afecta los pulmones, hígado, y riñones; dificultades respiratorias
Cadmio	Daño a pulmones y riñones, enfisema, dolor al pecho, edema pulmonar (hinchazón)

Humo	Efectos
Cromo	Irritante a la piel, ojos, y las membranas mucosas; cáncer
Cobre	Vómito, sudor frío, rigidez, dolor al pecho, quemaduras a los senos nasales
Fluoruro	Irritación respiratoria y a los ojos, nariz: fluido en los pulmones
Hierro	Irritación a la nariz, garganta, y pulmones
Plomo	Daño al cerebro, riñones, músculos, nervios, circulación y sistema reproductor; dolores de cabeza; retortijones
Magnesio	Daño e irritación al sistema nervioso y respiratorio, irritación a los ojos
Manganeso	Dificultades en caminar, debilidad
Cinc	Vómito, sudor frío, rigidez, dolores al pecho, quemaduras a los senos nasales

- **Radiación** — Los ojos se le pueden dañar o deteriorar cuando se mira a un arco sin protección de un lente filtro. El calor radiado puede quemar la piel gravemente como lo haría el sol.

- **Descarga eléctrica** — Equipo mal conectado a tierra, defectuoso, u operado mal le puede matar. Soldando por arco o por medio de resistencia mientras está parado en superficies húmedas puede crear una situación que favorece una descarga eléctrica.

- **Fuego y explosión** — Pueden ser causado cuando se esté soldando o cortando cerca de materiales combustibles o inflamables, polvo, vapor, líquidos, o piso. Las chispas que vuelan dentro de estos lugares pueden comenzar un incendio. Las explosiones pueden ocurrir en lugares con líquidos, gases, vapores, o polvo inflamable.

- **Espacios limitados** — La soldadura pueden desplazar el oxígeno y los vapores pueden asentarse hacia el fondo y llenar espacios limitados. Gases inflamables o combustibles y humo tóxico podrían estar presentes antes y/o durante una entrada. Esto podría ser mortal. Pudiera ocurrir fuego, explosión y asfixia.

- **Envenenamiento de plomo** — El riesgo que se crea cuando se suelde en superficies pintadas con plomo. Hasta lugares que parecen bien ventilados podrían ser peligrosos.

- **Salpicaduras metálicas, escoria, y chispas** — Estas vuelan en lugares donde se está soldando y pueden golpearle a usted y/o quemarle a usted o su ropa.

- **Resbalones, tropezones, y caídas** — Desorden en o cerca de su área de soldadura podría llevar a resbalones, tropezones, y caídas. Trabajando más arriba del nivel de la tierra o piso puede crear riesgos inherentes de caerse, o cosas que caen.

- **Ruido** — Esto puede aparecer como un riesgo menor, pero al paso de tiempo usted podría perder su oído temporáneamente o permanentemente si no se protege del ruido producido por el equipo de soldadura y corte.

- **Gases comprimidos** — Estos son peligrosos porque los gases están almacenados a alta presión. Pueden ser inflamables, venenosos, corrosivos, o una combinación de todo esto. Los gases inflamables pueden encenderse, estallar si se los maneja rudamente o se los calienta, encenderse si sus vapores avanzan a una fuente de ignición, o producir gases irritantes o venenosos cuando se queman. Los cilindros de gas y oxígeno hasta pueden portarse como un cohete y traspasar paredes de hormigón o volar por el aire. Los gases que no son inflamables pueden estallar si se los mezcla con combustibles. Los gases comprimidos pueden ser dañinos si se los inhala, tener vapores extremadamente irritantes, y causar quemaduras, mareos, pérdida de sentido, o sofocación.

Protegiéndose uno mismo

Aunque existen muchos riesgos, hay muchas maneras de controlarlos o eliminarlos para protegerse uno mismo.

- **Ventilación** — Campanas de ventilación sobre el arco, ventiladores, y espacios abiertos ayudan a reducir la concentración de gases, humos, y polvos peligrosos. La ventilación también previene la acumulación de gases, vapores, y polvo inflamable que podrían causar un incendio. Sepa los síntomas del humos y gases y salga del lugar si se desarrollan. Haga pruebas atmosféricas.

- **Evite el penacho** — No se acerque al penacho de gas o humo.

- **Equipo de protección personal (PPE en inglés)** — Esto incluye: delantales que resisten llamas para protegerse contra el calor y chispas; polainas y botas altas para protegerse del trabajo pesado, calzado que cubre los tobillos debajo de las mangas del pantalón para no permitir la entrada de escoria, capa para los hombros y gorra para protegerse de soldadura encima suyo; tapones para las orejas u orejeras en trabajos muy ruidosos como aquellos causados por antorchas de plasma de alta velocidad; guantes aislados para protegerle contra el contacto de artículos calientes y exposición a radiación; cascos de seguridad para protegerle de objetos agudos o que caigan encima; y gafas, caretas, y resguardos para proteger sus ojos y cara. Use lentes filtro aprobados por ANSI y placas para protegerse de la energía radiante. También proteja a personas que estén mirando instalando defensas para que ellos no tengan la tentación de mirar al arco.

- **Respiradores** — Cuando la ventilación y el evitar el penacho no le dan suficiente protección, o cuando soldaduras crea un lugar deficiente en oxígeno, use un respirador. También, entienda como usar su respirador.

- **Precauciones eléctricas** — No suelde mientras esté parado sobre superficies húmedas o tenga ropa húmeda. Conecte a tierra, instale, y opere el equipo apropiadamente. No use equipo defectuoso. Use porta electrodos y cables bien aislados. Aíslese de ambos, el electrodo de trabajo y el electrodo de metal y el porta electrodos. No envuelva el cable de soldadura al rededor de su cuerpo. Use guantes secos y zapatos con suelas de hule. No use cables y conectadores defectuosos o pelados. En caso de una descarga eléctrica, no toque a la víctima, apague la corriente en el disyuntor y entonces busque ayuda. Después de que se ha apagado la potencia eléctrica, usted puede dar resucitación cardiopulmonar (CPR en inglés) si fuera necesario.

- **Protección contra el fuego** — Use ropa resistente a las llamas. Haga que alguien sea la persona que le observe para asegurar que no haya fuego mientras usted suelde. Mueva todo material combustible por lo menos a 35 pies del área de trabajo o trate de alejarse de los artículos combustibles. Si no es posible seguir ninguna de estas opciones, cubra los combustibles con un material resistente a las llamas. No suelde en atmósferas que contengan gases, vapores, líquidos o polvo con peligro reactivo o inflamable. Limpie y purgue recipientes que pudieron haber contenido material combustible antes de aplicar calor. Consiga un permiso para trabajo caliente y siga sus precauciones de seguridad.

- **Espacios limitados** — Asesore los peligros de trabajar y caminar en espacios limitados, y también evalúe atmósferas peligrosas y superficies interiores resbalosas para determinar su inflamabilidad, combustibilidad, o humos tóxicos que pudieran resultar de los procesos de soldadura.

- **Ropa** — Use ropa de lana, cuero o piel, o de algodón tratado para reducir la inflamabilidad de la soldadura con protección de gas. Mangas y pantalones largos sin basta/o bolsillos delanteros son los recomendados para evitar que le entren chispas.

- **Plomo** — No suelde en superficies pintadas con pintura de plomo.

- **Protección contra caídas** — Use plataforma con pretiles o un arnés de seguridad y cuerda de salvamento.

- **Gases comprimidos** — Maneje los cilindros con cuidado para evitar averiarlos. No los haga rodar, los arrastre, o los resbale. No los levante usando su tapa o usen imanes para levantarlos. Use carro de rueda de mano para levantar a los cilindros a una posición vertical o si los cilindros fueron fabricados con aditamentos para levantar, pudiera usar cunas o plataformas. Almacene los cilindros en un lugar seguro, seco, y bien ventilado que esté limpio y no tenga material combustible. Evite lugares donde se podría tumbar o averiar a los cilindros.

Inspección y mantenimiento del equipo

No es necesario repetir que se debería usar el equipo de soldadura de acuerdo a las instrucciones del fabricante. Se debe estar familiarizado con el uso correcto y las limitaciones del equipo de soldadura. Adicionalmente, inspeccione, y mantenga su equipo de soldadura, incluyendo cilindros de soldadura. Inspeccione los cilindros regularmente para asegurarse que todas sus partes estén en buena condición y funcionamiento, especialmente múltiples, encabezamientos, reguladores, antorchas, mangueras y conexiones de manguera.

Trabaje con el propósito de trabajar con seguridad

Completando el trabajo con seguridad siempre debería ser su primer propósito. En todas
las operaciones
de soldadura,
tome el tiempo
para evaluar la
tarea y haga
efectivas las
precauciones
apropiadas de
seguridad. Este
paso no sola-
mente evitará
daño al equipo
y máquinas
pero reducirá su
riesgo de un

accidente que podría lesionarle a usted o a un compañero.

Empleado _____

Instructor _____

Fecha _____

Compañía _____

REPASO DE SOLDADURA, CORTE, Y SOLDADURA FUERTE

1. Existen diferentes tipos de operaciones de soldadura, autógena, de gas, resistencia, arco, y _____.
   a. Fricción
   b. Láser
   c. Ultrasónica
   d. Todo lo de arriba

2. Los peligros comunes de soldar incluyen:
   a. Descarga eléctrica
   b. Caídas
   c. Golpes
   d. Ser agarrado en el medio

3. El efecto de humo de hierro en su cuerpo después de pocas horas pudiera ser:
   a. Dolencias al corazón
   b. Vómito
   c. Irritación a los pulmones
   d. Todo lo de arriba

4. Los gases que se pueden formar después de operaciones de soldar y cortar incluyen:
   a. Monóxido de carbono
   b. Dióxido de nitrógeno
   c. Ozono
   d. Todo lo de arriba

5. Esto puede dispararse del área de soldadura y golpearle y/o quemarle:
   a. Radiación
   b. Electricidad
   c. Escoria o salpicadura
   d. Todo lo de arriba

6. Para protegerse usted mismo de los peligros de soldadura, usted puede:
   a. Estar de pie sobre una superficie húmeda
   b. Usar ropa de algodón tratado
   c. Trabajar en atmósferas peligrosas
   d. Quedarse cerca del penacho

7. El equipo de protección personal que usted quisiera
   considerar, incluye:
   a. Casco de montar a bicicleta
   b. Capa y gorro
   c. Gorra de béisbol
   d. Ninguna de las de arriba

8. Para prevenir que un incendio comience, usted debería
   quitar todo material combustible a una distancia de por
   lo menos _____ del área de trabajo.
   a. 5
   b. 20
   c. 35
   d. 50

9. Los gases comprimidos deben ser manejados con cuidado, lo cual significa que usted debería:
   a. Hacer rodar los cilindros en su lugar
   b. Levantar los cilindros por medio de sus tapas del recinto
   c. Almacenar los cilindros en un cuarto húmedo y cerrado
   d. Mantener los contenedores lejos de materiales
      combustibles

10. Para protegerse de energía radiante, use:
    a. Lentes de filtro y placas aprobadas por ANSI
    b. Protección para la cara
    c. Lentes de seguridad
    d. Anteojos ahumados

SEGURIDAD EN LA ZONA DE TRABAJO: LA SEGURIDAD NO ES UN ACCIDENTE

Los trabajadores de autopistas, carreteras, calles, puentes, túneles, líneas eléctricas de gas y agua, y otros están expuestos a una variedad de peligros dentro y fuera del área de trabajo. Los tipos más comunes son caídas, electrocución, ser golpeados y ser aplastados, los cuales aparecen

mientras se cava, se hace huecos, se instala tubería, o se trabaja alrededor de equipo de construcción y conduciendo vehículos.

Como la mayoría de nuestras carreteras se han hecho ya, los trabajadores de construcción no están construyendo muchas vías. Las están reparando o expandiendo. A razón del envejecimiento de nuestras carreteras, cada día se necesitan más proyectos de reparación. Y como más motoristas usan las carreteras existentes, son necesarios más proyectos de expansión. Al mismo tiempo, debido a la presión de los motoristas que no quieren demorarse por las zonas de trabajo, los trabajadores de construcción están en un riesgo aún mayor de lesiones o muerte, ya que:

Al mismo tiempo, debido a la presión de los motoristas que no quieren demorarse por las zonas de trabajo, los trabajadores de construcción están en un riesgo aún mayor de lesiones o muerte, ya que:

- Se permite mantener alta velocidad a través de las zonas de trabajo,

- Las zonas de trabajo son acortadas con menos advertencia a los motoristas, y

- El trabajo en carreteras se hace de noche cuando existe menos visibilidad.

Es más importante que nunca, tomar precauciones necesarias para proteger a uno mismo y a los compañeros.

Ejemplos de zonas de trabajo

Una zona de trabajo es un área de carretera con actividades de construcción, mantenimiento e instalación eléctrica, de gas o de agua. Difiere de un lugar de construcción en que la zona de trabajo está cerca de la carretera que tiene tráfico. El trabajo de construcción o de instalaciones eléctricas, de gas o de agua que se hace lejos de la carretera, no se considera actividad de la zona de trabajo. Ejemplos de actividad de zona de trabajo incluyen: construcción de un nuevo puente, añadidura de nuevos carriles a la carretera, extensión de una carretera existente, reparación de baches, y reparación de líneas eléctricas, de gas, o agua dentro de la carretera. La mayoría de las zonas de trabajo, se dividen en cuatro áreas:

1. **Área de advertencia previa** — Sección de la carretera donde se informa a los conductores de lo que hay adelante.

2. **Área de transición** — Sección de la carretera donde se dirige a los conductores a un carril provisional.

3. **Área de actividad** — Sección de la carretera donde se lleva a cabo la actividad de trabajo. Incluye ambos, un **espacio de**

trabajo donde los trabajadores, equipo, y materiales están separados del tráfico, y **un espacio de tráfico** donde se dirige al tráfico a través del área de actividad. El área de actividad puede tener **zonas de neutralidad** vacías, para proteger a los trabajadores y conductores.

4. **Área de terminación** — Sección de la carretera que se usa para devolver a los conductores a sus carriles normales.

OSHA dice

Las reglas de OSHA para la seguridad de la zona de trabajo se pueden encontrar en 1926.200 a .203, Letreros, Señales, y Barricadas. Desgraciadamente, OSHA no ofrece mayor cosa en la manera de proteger a los trabajadores de los peligros del tráfico en las zonas de trabajo.

Sin embargo aunque el Departamento de Transporte (DOT en inglés) desea proteger a los motoristas y peatones también da alguna protección a los trabajadores de construcción bajo: 23 CFR 630, Subparte, J, Seguridad del Tráfico en Zonas de Trabajo en Carreteras y Calles y 23 CFR 655, Subparte F, Dispositivos de Control de Tráfico en Ayuda Federal y Otras Calles y Carreteras.

Ambos OSHA y DOT hacen referencias a un estándar nacional de control de tráfico en todas las carreteras públicas, incluyendo las zonas de trabajo. Este estándar se llama el *Manual de Dispositivos Uniformes de Control de Tráfico (MUTCD en inglés)*.

¿Cuáles son los peligros?

He aquí una lista más completa de los peligros que usted puede confrontar en la zona de trabajo:

Golpeado por motoristas

Golpeado por equipo pesado o rodante

Vuelco de equipo pesado

Líneas eléctricas encima

Líneas eléctricas subterráneas

Equipo eléctrico sin conexión a tierra

Herramientas y gatos mal mantenidos

Partes movibles sin defensas

Riesgo de caídas (ej., trabajo en puentes)

Derrumbes de excavaciones

Herramientas que vibran

Levantamiento pesado

Monóxido de carbono de escape de vehículos

Humo de asfalto

Extremo calor/frío

Lluvia y niebla

Obscuridad de la noche

Mientras el público que viaja por la zona de trabajo es importante, nuestro enfoque aquí es la seguridad del trabajador que está haciendo tareas dentro de la zona de trabajo. Miremos a maneras de cómo mantenerle seguro.

Plan para el control de tráfico

El Plan para el Control de Tráfico (TCP) describe las medidas que se usan para mantener al tráfico pasando eficientemente y con seguridad a través de la zona de trabajo. Las medidas seleccionadas dependen en el tipo de vía, la condición del tráfico, el tiempo que tomará hacer el proyecto, las restricciones del lugar y cuan cerca está el espacio de trabajo al tráfico. Un TCP puede ser muy detallado y contener dibujos de la zona de trabajo particular.

Su compañía podría también crear un plan de control de tráfico para coordinar el flujo de los vehículos, equipo y trabajadores de construcción que estén operando cerca del área de actividad. Cuando se mire el plan, los trabajadores a pie deberían prestar atención a los lugares dentro de los cuales no se les permite entrar.

Rótulos o letreros

Hay tres tipos de letreros para control de tráfico:

- **Rótulos reguladores** — Informan a las personas que usan la vía acerca de las leyes de tráfico. Con algunas excepciones, estos rótulos son rectangulares y en blanco y negro. Los ejemplos incluyen ALTO (Stop), CEDA EL PASO (Yield), NO ENTRE (Do not enter), LÍMITE DE VELOCIDAD (Speed limit), y UNA VÍA (One way).

- **Letreros de advertencia** — Notifican a los conductores de las condiciones. Con algunas excepciones, estos letreros tienen la forma de un diamante y son anaranjados y negros. Los ejemplos de los rótulos incluyen

TRABAJO EN LA VÍA (Road work), DESVÍO (Detour), VÍA CERRADA Road closed), y CARRIL DERECHO CERRADO (Right lane closed).

- **Rótulos de guía** — Dan información para ayudar a los conductores con las rutas provisionales, direcciones, y el tipo de trabajo que se está haciendo. Estos rótulos generalmente son anaranjados y negros. Los ejemplos de estos rótulos incluyen TRABAJO EN LA VÍA PRÓXIMAS____MILLAS (Road work next ____miles), FIN DE TRABAJO EN LA VÍA (End road work), y FLECHAS DE DESVÍO.

Estos rótulos deben ser visibles todo el tiempo cuando se esté haciendo el trabajo y se deben quitar o se deben cubrir cuando los peligros dejen de existir. De noche, los rótulos deben ser retro-reflectores, o iluminados. Si los rótulos se deterioran o están averiados, deben ser reemplazados. Generalmente, los rótulos deberían ser colocados en el lado derecho de la vía.

Otros letreros que usted puede encontrar en su zona de trabajo que no controlan tráfico incluyen: rótulos y letreros que digan peligro, precaución, y salida. Véase el capítulo sobre Seguridad en el Lugar de Trabajo para más información.

Rótulos

Los rótulos advierten de peligros posibles o existentes. Estos incluyen:

- Letreros tipo raqueta o banderas sostenidos por señaladores,

- Tableros portátiles para mensajes que pueden cambiar, y

- Pantallas con flechas que se encienden y apagan.

Dispositivos de canalización

Los dispositivos de canalización incluyen, pero no están limitados a: conos, marcadores tubulares, paneles verticales, tambores, barricadas, islas levantadas provisionales, y barreras. Estos dispositivos protegen a los trabajadores en la zona de trabajo, advierten y alertan a los conductores a las condiciones creadas por el trabajo en la vía y guían a los choferes. Asegúrese que todos estos dispositivos estén limpios y visibles.

Personas Señaladoras

Cuando letreros, señales, y barricadas no proporcionan suficiente

protección para las operaciones en carreteras o calles, entonces se deberían proporcionar personas señaladoras u otros controles para el tráfico. Si embargo, la señalización es peligrosa porque expone al señalador al tráfico. Si usted es el señalador, debería seguir las siguientes reglas:

- Use banderas rojas (cuadradas, de por lo menos de 18 pulgadas por lado) o letreros tipo raqueta cuando esté dando señales manuales durante el día. La mayoría de estas raquetas, tienen un letrero STOP (ALTO) en un lado y uno anaranjado SLOW (DESPACIO) en el otro. El MUTCD sugiere que estos banderines se debe usar solamente en situaciones de emergencia.

- Use luces rojas cuando se esté señalizando manualmente durante la noche.

- Use señales que se conformen con el MUTCD. A continuación se muestran los métodos de señalización para banderines tipo raqueta.

  o **Para detener al tráfico** — Encare al tráfico y sostenga su señal STOP hacia el tráfico con su brazo extendido horizontalmente lejos de su cuerpo. Levante su brazo libre con la palma de su mano hacia el tráfico que se acerca.

- ○ **Para dirigir a tráfico detenido a que proceda** — Encare el tráfico y sostenga el letrero SLOW hacia el tráfico con su brazo extendido horizontalmente lejos de su cuerpo. Mueva su mano libre indicando que el tráfico puede proceder.

- ○ **Para alertar o hacer que el tráfico vaya más despacio** — Encare el tráfico sosteniendo el letrero SLOW hacia el tráfico con su brazo extendido horizontalmente lejos de su cuerpo. Usted puede usar su mano libre con la palma hacia abajo moviéndola para arriba y para abajo indicando que el vehículo tiene que ir más despacio.

- Use ropa de alta visibilidad que cumple con la Clase 2 o 3 de los requisitos de ANSI/ISEA 107-2004 del Estándar Nacional Americano para Ropa y Sombreros de Alta Visibilidad y etiquetados para exposición a riesgo.

  - ○ El color de la tela exterior debe ser anaranjado fluorescente, amarillo – verde fluorescente, o una combinación de los dos como está definido en la norma ANSI.

  - ○ Material retro-reflector debe ser anaranjado, amarillo, blanco, plateado, amarillo-verde, o una versión fluorescente de estos colores y debe ser visible a una distancia mínima de 1.000 pies.

  - ○ La ropa de seguridad retro-reflectora debe estar diseñada para identificar claramente al usuario como una persona.

- Coordine con los otros señaladores y comuníquese por radio si no tiene contacto visual.

- Sepa como combatir exposición al calor y al frío, vístase con ropa apropiada, y sepa donde está un refugio.

- Esté alerta a los síntomas asociados con intoxicación de monóxido de carbono proveniente del tráfico vehícular (náusea y dolor de cabeza). Si estos síntomas se desarrollan, vaya al aire fresco.

- Use barricadas, conos, marcadores tubulares, paneles verticales, tambores, y barreras para marcar las áreas.

- Este consciente del equipo de construcción al rededor suyo. Para saber que es lo que está viniendo desde atrás, es posible que necesite usar un casco con un espejo de retro visión, tener a un observador que le dirija, o usar algún tipo de detector de movimiento. Los operadores de equipo también deberían saber adonde usted está.

Siendo un señalador, puede ser un trabajo seguro si se mantiene alerta a todo lo que ocurre al rededor suyo, todo el tiempo.

Prácticas seguras de trabajo

Cuando esté trabajando cerca de tráfico o equipo pesado:

- Use ropa altamente visible y un casco de color claro. Durante el día, usted debe usar un chaleco, camisa, o chaqueta que sea anaranjada, amarilla, amarillenta verdosa, o una versión fluorescente de estos colores. En la noche, el chaleco, camisa, o chaqueta debe ser retro reflector.

- El material retrorreflector debe ser anaranjado, amarillo, blanco, plateado, amarillo verdoso fuerte, o una versión fluorescente de todos estos colores y debe ser visible a una distancia mínima de 1,000 pies. Además, es también bueno usar pantalones blancos y un casco duro, blanco, retrorreflector, en la noche.

- Trabaje donde conductores le puedan ver, pero lo más lejos que sea posible del tráfico. Esté alerta de que pueda no ser visto por los conductores cuando el sol está cayendo sobre el horizonte o cuando haya lluvia, niebla, u obscuridad.

- Entre y salga de los espacios de tráfico y áreas de equipo pesado con rapidez y seguridad.

- Manténgase alerta y no use un radio con audífonos.

No opere equipo o un vehículo a no ser que le hayan entrenado y autorizado para operar este equipo. Cuando esté operando equipo o vehículos:

- Siempre use su cinturón de seguridad.

- Nunca mueva el equipo o vehículo sin hacer contacto visual con otros trabajadores abajo o cerca del equipo.

- Asegúrese que el equipo sea inspeccionado diariamente y cualquier pro-blema se corrija. Reporte equipo con problemas.

- Use equipo con estructuras que le protejan en caso de un vuelco.

- Calce o acuñe dos ruedas cuando se aleje del equipo.

- Si debe estacionar su vehículo cerca del tráfico, estaciónelo donde conductores lo puedan ver. No estacione al otro lado de una esquina escondida.

Otras medidas protectoras para la zona de trabajo

Otras precauciones y medidas protectoras de seguridad para la zona de trabajo podrían incluir:

- **Barreras provisionales** — Estos dispositivos evitan que los vehículos entren donde haya peligros, trabajadores o peatones.

- **Vaya más despacio** — Si los trabajadores son especialmente vulnerables, los ingenieros de la zona de trabajo deberían considerar, que se haga la velocidad del tráfico más lenta.

- **Vehículo de rastro** — Si su trabajo vial va en movimiento, tal como cuando se está parchando baches, se debe usar un vehículo con luces, letreros, o un protector para impacto desde atrás, todos apropiados, para que no le golpeen.

- **Sistemas para detener vehículos** — Estos serían mallas, cercas, cables, o anclas que absorben energía que previenen a vehículos de entrar en áreas de actividad mientras permitan que el vehículo disminuya la velocidad en forma segura.

- **Tiras sonoras** — Estas consisten en hacer la superficie de la vía rugosa para alertar a los conductores de condiciones cambiantes.

- **Cierre de la vía** — Si otros caminos pueden manejar tráfico adicional, se puede cerrar la carretera provisionalmente para darle la mayor protección.

- **La policía** — Si usted tiene un riesgo alto, se pueden usar vehículos de policía para reducir la velocidad del tráfico.

- **Iluminación** — Para incrementar la visibilidad de la noche, el área de trabajo y sus aproximaciones deberían estar bien alumbradas. Sin embargo, las luces reflectoras no deben cegar a los conductores. Luces de bajo nivel de camiones también pueden permitir que los trabajadores puedan ver mejor cuando caminan. Cinta reflectora o tiras de luz que perfilan la altura y anchura de los vehículos y equipo de construcción, es beneficiosa.

- **Dispositivos que advierten invasión** — Estos dispositivos pueden alertarlo a vehículos que accidentalmente entran dentro del espacio de trabajo.

Entrenamiento

Si usted es un empleado de la zona de trabajo, se le debe entrenar en todos los aspectos de su trabajo incluyendo:

- Su papel y ubicación en el lugar,

- Los patrones del tráfico y las operaciones de equipo pesado,

- Reconocer y eliminar o evitar peligros,

- El entendimiento de las señales de la persona señaladora y los colores de seguridad,

- Conocimiento de los métodos de alarmas y comunicación,

- Sabiendo cómo trabajar al lado del tráfico y equipo pesado en una manera que minimiza accidentes,

- Conociendo su ruta de escape,

- Equipo de protección personal apropiado, que le salve la vida,

- Cómo ser muy visible, y

- Saber cómo operar equipo y vehículos y evitar vuelcos.

Su compañía debe familiarizarle con todas estas cosas antes de que usted trabaje en cada diferente zona de trabajo y cuando cambie su zona de trabajo.

Trabajando con el propósito de trabajar con seguridad

Trabajando en las zonas de trabajo es peligroso pero no tiene que ser inseguro. Cuando su empresa proporciona el entrenamiento y usted esté en el lugar de trabajo, esté alerta. Le podría salvar la vida.

NOTES

REPASO DE SEGURIDAD EN LA ZONA DE TRABAJO

1. Una zona de trabajo es un área donde se hace el trabajo de construcción:
    a. En el sitio de trabajo
    b. Cerca de una carretera que tiene tráfico pasando
    c. Cerca de la orilla del agua
    d. Ninguno de los de arriba

2. Una sección en la carretera donde se informa a los conductores de lo que viene, se llama:
    a. Área de transición
    b. Área de advertencia avanzada
    c. Área de actividad
    d. Área de terminación

3. Las normas para la seguridad de la zona de trabajo son establecidas por:
    a. OSHA
    b. MUTCD
    c. DOT
    d. Gobierno estatal

4. Los peligros que puede confrontar mientras esté en la zona de trabajo incluyen:
    a. Líneas eléctricas encima
    b. Monóxido de Carbono
    c. Derrumbes de excavaciones
    d. Todo lo de arriba

5. El tipo de señal que se da a los conductores en la ruta provisional se llama:
    a. Señales regulatorias
    b. Señales de guía
    c. Señales de advertencia
    d. Señales direccionales

6. Un dispositivo de canalización incluye:
   a. Conos
   b. Señaladores de banderín
   c. Cinta en el suelo
   d. Todo lo de arriba

7. Según el MUTCD, para dirigir al tráfico detenido usted debería:
   a. Sostener la paleta que diga SLOW (LENTO) hacia el tráfico moviendo la mano libre indicando que se proceda
   b. Sostener la paleta que diga SLOW (LENTO) hacia el tráfico moviendo la mano para arriba y para abajo con la palma hacia abajo
   c. Sostener la paleta que diga STOP (ALTO) hacia el tráfico y levantar su brazo libre con su palma hacia el tráfico que se acerca
   d. Ninguna de las de arriba

8. Los señaladores de banderín deberían usar ropa externa que es fluorescente de color:
   a. Azul - verde
   b. Anaranjada - roja
   c. Rosa - amarilla
   d. Todo lo de arriba

9. Otras precauciones de seguridad de la zona de trabajo pudieran incluir:
   a. Barreras provisionales
   b. Velocidad más rápida
   c. Bandas sonoras
   d. a y c

10. Cuando esté operando equipo o vehículos:
    a. Use cinturón de seguridad
    b. Acuñe una de las ruedas cuando se vaya
    c. Estacione el equipo cerca de esquinas ciegas
    d. Inspeccione el vehículo mensualmente